Uni-Taschenbücher 450

# UTB

Eine Arbeitsgemeinschaft der Verlage

Birkhäuser Verlag Basel und Stuttgart
Wilhelm Fink Verlag München
Gustav Fischer Verlag Stuttgart
Francke Verlag München
Paul Haupt Verlag Bern und Stuttgart
Dr. Alfred Hüthig Verlag Heidelberg
J. C. B. Mohr (Paul Siebeck) Tübingen
Quelle & Meyer Heidelberg
Ernst Reinhardt Verlag München und Basel
F. K. Schattauer Verlag Stuttgart-New York
Ferdinand Schöningh Verlag Paderborn
Dr. Dietrich Steinkopff Verlag Darmstadt
Eugen Ulmer Verlag Stuttgart
Vandenhoeck & Ruprecht in Göttingen und Zürich
Verlag Dokumentation München-Pullach

Egon Werlich

# Typologie der Texte

## Entwurf eines textlinguistischen Modells zur Grundlegung einer Textgrammatik

Quelle & Meyer Heidelberg

**CIP-Kurztitelaufnahme der Deutschen Bibliothek**

*Werlich, Egon:*
Typologie der Texte: Entwurf e. textlinguist. Modells zur Grundlegung e. Textgrammatik / Egon Werlich. – 2., durchges. Aufl. – Heidelberg : Quelle und Meyer, 1979.
(Uni-Taschenbücher; 450)
ISBN 3-494-02052-3

2., durchgesehene Auflage


Printed in Germany.
Satz und Druck: Druckhaus Darmstadt GmbH.
Umschlagentwurf: Alfred Krugmann, Stuttgart.
Gebunden bei der Buchbinderei Sigloch, Leonberg.

# Inhalt

## Abkürzungen

| | |
|---|---|
| A | Adverbial |
| ADJ | Adjektiv |
| ADV | Adverb bzw. adverbiale Präpositionalgruppe |
| $ADV^{init}$ | Adverbialer Initiator |
| $ADV_{loc}$ | Ortsadverb |
| $ADV^{sequ}$ | Adverbiales Sequenzsignal |
| $ADV_{temp}$ | Zeitadverb |
| $ADV^{term}$ | Adverbialer Terminator |
| C | Complement (Ergänzung) |
| $INIT^{k}$ | Initiator auf Kapitelebene |
| $INIT^{p}$ | Initiator auf Paragraphenebene |
| $INIT^{s}$ | Initiator auf Sektionsebene |
| NG | Nominalgruppe (entspricht der Nominalphrase [NP] in Chomskys Terminologie) |
| P | Prädikat, (im Sinne von ›Prädikator‹, ›Prädikatskern‹) |
| S | Subjekt |
| SP(C)(A)-Struktur | Struktur des einfachen Satzes mit obligatorischem Subjekt und Prädikat, optionaler Ergänzung und optionalem Adverbial |
| V | Verb |
| $V_{be}$ | Verb *be* |
| $V_{be}$ + *Not* | Verb *be* mit Verneinung |
| $V_{change}$ | Verb der Veränderung (insbesondere Tätigkeitsverben, Vorgangsverben) |
| $V_{change}$+BE+ING | Verb im Aspekt der *continuous tense* |
| $V_{have}$ | Verb *have* |
| V + INF | Verb im Infinitiv |
| $V_{non\text{-}change}$ | Verb der Nicht-Veränderung (insbesondere Zustandsverben) |
| V + *Past/Present* | Verb im Past Tense oder Present Tense |

Meinem Lehrer
Karl Schneider
dankbar gewidmet

# Vorwort

Die vorliegende Studie will erste Orientierung in einem der gegenwärtig vielleicht wichtigsten Teilbereiche der *Textlinguistik* geben. Die Lösung des Problems, wie Elemente, Ordnungen und Strukturen in satzübergreifenden textlichen Äußerungen zu beschreiben und zu klassifizieren sind, hat – neben der fachsprachlich-terminologischen Klärung textlinguistischer Begriffe – unmittelbare Auswirkungen für die Syntaxtheorie, die linguistische Stilistik und Poetik sowie die Organisation einer Textgrammatik. Darüber hinaus liefert eine tragfähige Typologie der Texte neue Ansatzpunkte für Untersuchungen der Sprachentwicklung und des Sprachverhaltens, wie sie für die linguistischen Teildisziplinen der Psycholinguistik, Soziolinguistik und Pragmalinguistik kennzeichnend geworden sind.

Es entspricht dem Charakter des Entwurfs eines texttypologischen Modells, daß diese Studie Geschlossenheit nur mit Bezug auf die relevanten Teilaspekte einer Texttypologie anstrebt. Im Bereich der textformspezifischen Einzelbeschreibung beschreitet sie den Weg der exemplarischen Illustration. Die Untersuchung soll zeigen, wie und nach welchen textlinguistischen Kriterien ein konkreter Text vom Rezipienten als Textform oder Textformvariante klassifiziert werden kann bzw. welche Schichten von Textkonstituenten der Sprecher in der Produktion eines Textes berücksichtigt. Die systematische Füllung des Modells durch distinktive Merkmalsgruppierungen auf der Ebene der wichtigsten Textformen ist Aufgabe einer umfassenden Textgrammatik.

Die vorliegende *Typologie der Texte* wendet sich zunächst an jenen Leserkreis, der das Problem der Textkonstitution und Textbildung als wissenschaftliche Forschungsaufgabe betrachtet und bearbeitet. Darüber hinaus richtet sie sich an jenen weiten Leserkreis, der gleichermaßen die Techniken systematischer *Textanalyse* und bewußter *Textproduktion* zu handhaben oder zu erwerben hat: an Deutsch- und Fremdsprachenlehrer, Studenten der Linguistik und Literaturwissenschaft und an Kursteilnehmer in den Leistungskursen der Sekundarstufe II.

Der Verfasser dankt allen, die ihn zu der vorliegenden knappen Studie ermutigt haben, indem sie seine Arbeit an einer Textgrammatik des Englischen unterstützt und seit langem durch freundlichen Rat gefördert haben. Mein besonderer Dank gilt Elisabeth Gülich (Universität Bielefeld) und Peter Hartmann (Universität Konstanz) für die aufmerksame Lektüre und hilfreiche Kommentierung der Manuskriptfassung.

Dortmund, im November 1974 E. Werlich

# 0. Vorbemerkung: Textlinguistik

„Dans la langue, tout revient à des differences, mais tout revient aussi à des groupements."
(F. de Saussure, *Cours de linguistique générale)*

„... language study must, in order to be useful or theoretically valid, be treated within its hierarchical framework of nonlinguistic as well as of linguistic behavior."
(K. L. Pike, *Language in Relation to a Unified Theory of the Structure of Human Behavior)*

Seit die moderne Wissenschaft von der Sprache auch eine *Textlinguistik* als Teildisziplin konzipiert und entwickelt hat – etwa seit Ende der 60er Jahre –, sind Fragen nach dem Funktionieren von Sprache *jenseits der Satzgrenze* wieder aktuell.[1] Das Erkenntnisstreben, das lange Zeit ausschließlich auf die Konstituenten, Strukturen und Erzeugungsbedingungen von Sätzen gerichtet war,[2] hat sich zunehmend den Strukturen von Satzfolgen zugewandt und damit jenen ›transphrastischen‹ Bedingungen, unter denen satzübergreifende Strukturen und Regularitäten von Sprechern in der Kommunikation erzeugt bzw. befolgt werden.[3]

Traditionelle Ansätze der *Literaturwissenschaft* zur Textbeschreibung und Textanalyse, vor allem von Werken der Literatur im engeren Sinne, können heute wieder aufgenommen werden, müssen jedoch einer erneuten Überprüfung unterzogen werden, die sich an verifizierbaren Methoden zur Erfassung und Definition von Textkonstituenten orientiert.[4] Zugleich ist zunehmend deutlich geworden, daß das Feld der textlinguistischen Untersuchungen nicht mehr auf die ›poetischen‹ Arten von Textvorkommen beschränkt werden darf. Beschreibungen und Analysen, die sich etwa an der literaturwissenschaftlichen Aufgliederung des Textvorkommens in *Lyrik, Epik* und *Dramatik* orientieren,[5] lassen den weiten Bereich jenes Textvorkommens unbeachtet, der in normalen Kommunikationssituationen zwischen Redepartnern dominiert und mit einem weitgefaßten Begriff als »Gebrauchsprosa« bzw. »Prosatextsorten« umschrieben worden ist.[6]

Es ist das Ziel der vorliegenden Untersuchung, die allen Vorkommensarten von Texten gemeinsamen Konstituenten zu erfassen und satzübergreifende Textstrukturen zugleich in ihrer Besonderheit und ihrer Interdependenz innerhalb konkreter Textganzer zu erklären. Die richtungweisende Hypothese unserer Untersuchung ist, daß allem Textvorkommen – analog dem Vorkommen von Sätzen – einige wenige Grundstrukturen zuzuordnen sein dürften, unabhängig davon, ob sie nun ›literarische‹ Texte im engeren Sinne oder ›nicht-literarische‹ Texte sind.[7] In solchen Grundstrukturen, die normalerweise die Länge eines Satzes überschreiten, so nehmen wir zugleich an, dürfte die Basis für eine *Typologie der Texte und Textformen* zu suchen sein. Eine Texttypologie ist eines der wichtigsten textlinguistischen Desiderata sowohl für die systematische Vermittlung von Sprache im Mutter- und Fremdsprachenunterricht als auch für die Erstellung einer umfassenden einzelsprachlich ausgerichteten *Textgrammatik* (vgl. Kap. 7).[8]

Die vorgelegte Untersuchung stützt sich auf Vorarbeiten des Verfassers zu einer Textgrammatik des Englischen.[9] Aus diesem Grunde sind alle Textbeispiele, die im Verlauf der Darstellung zur Demonstration herangezogen werden, der englischen Sprache entnommen worden.

# 1. Texte

Wie stets, wenn ein Begriff in den Mittelpunkt der wissenschaftlichen Analyse rückt, ist auch der Begriff ›Text‹ inzwischen in vielfältiger und zum Teil widersprüchlicher Weise definiert worden.[10] Eine extreme Position wird einerseits eingenommen, wenn jede Äußerung vermittels des Zeichenvorrats eines Kode als ›Text‹ verstanden wird.[11] Der Ein-Wort-Ausruf *Feuer!* wird dann ebenso als Text aufgefaßt wie das flüchtige Kopfnicken, das den Gruß andeutet, oder der drohend erhobene Zeigefinger, der einen Tadel signalisiert. Eine extreme Position stellt andererseits auch jene Auffassung dar, die stets nur mehrsätzige Äußerungen in schriftlicher Fixierung als Text gelten läßt.[12] Unberücksichtigt bleibt nach dieser Definition nicht nur der Bereich mündlich übermittelter Texte, sondern auch die intuitiv akzeptierte Textlichkeit eines Sprichworts wie *Aller Anfang ist schwer.*

## 1.1 Sprachliches und nicht-sprachliches Handeln

Betrachtet man den situativen Vorkommensbereich oder *Kontext* von Texten,[13] so wird deutlich, daß Texte als nur ein Faktor unter anderen im umfassenderen Bereich menschlichen *Handelns* und *kommunikativer Prozesse* anzusiedeln sind.[14] Von den elementaren Stufen des lediglich subjektiv sinnvollen *Handelns* (den Federhalter ergreifen) und des *sozialen Handelns* (Verkehrsregeln beachten, unabhängig von der Anwesenheit anderer Verkehrsteilnehmer) können jene Formen des Handelns unterschieden werden,[15] die durch das gemeinsame Merkmal der Interaktion mit anderen gekennzeichnet sind: *kommunikatives Handeln* (einem anderen Kraftfahrer die Vorfahrt lassen); *sprachlich und/oder nicht-sprachlich realisierbares Handeln* (Verbalinjurie oder Zeigen des Vogels); und *nur sprachlich realisierbares Handeln* (Anzeige wegen Beleidigung erstatten).

Wann immer ein *Sprecher* durch *nicht-sprachliches* oder *sprachliches Handeln* in Interaktion zu einem *Hörer* tritt,[16] kommen u. a. auch bzw. vorwiegend *Texte* zustande, die sich referentiell auf Elemente eines tatsächlichen oder eines möglichen raumzeitlichen Kontextes beziehen:[17]

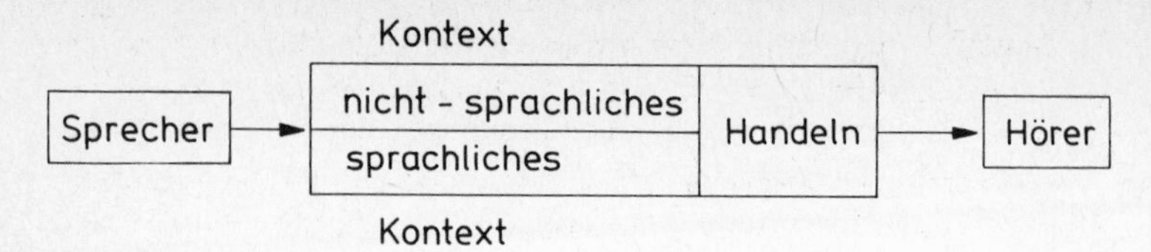


*Fig. 1*

Untersucht man im einzelnen, wie nicht-sprachliches Handeln in Ergänzung sprachlichen Handelns in Kommunikationsakten Information übermittelt, so wird man es etwa mit jenen Zeichen- und Regelsystemen zu tun bekommen, die Bestandteile einer Grammatik nicht-sprachlicher Kommunikation sein könnten. Wichtige Teile einer sowohl auf nicht-sprachliche wie sprachliche Kommunikation ausgerichteten *Handlungsgrammatik* wären einerseits Inventarien der kulturell und sprachgemeinschaftlich bedingten Handlungsstrukturen, die *Gebärden, Mimik, Etikette, Konventionen, Tabus* und *Reaktionen* im weiteren Sinne zugrundeliegen, andererseits *Texte* als Realisierungen vorgeprägter Kommunikationstypen für die gesellschaftliche Interaktion zwischen Individuen.[18] Hier weiten sich die Dimensionen der Linguistik in noch wenig erforschte Bereiche einer *Pragmalinguistik* und *Soziolinguistik*.[19]

Was immer die Analyse der Kommunikation vermittels nicht-sprachlichen Handelns im einzelnen ergibt, soviel kann man schon jetzt sagen: die Kommunikation vermittels *sprachlichen Handelns* bedient sich eines ungleich differenzierteren, komplexeren und vor allem stärker konventionalisierten Instrumentariums als das vermittels nicht-sprachlicher Zeichen. Zugleich dürfte davon auszugehen sein, daß einzelsprachliche Kodes zumindest eine komplementäre, wenn nicht gar *die* komplementäre Rolle zur Kommunikation vermittels nicht-sprachlicher Zeichensysteme spielen, insofern nämlich, als letztere stets in eine Sprache ›übersetzbar‹ sein müssen, um richtig verstanden zu werden (etwa der Morsekode, Verkehrszeichen etc.). Aus der begrenzten einzelsprachlichen Sicht muß überraschen, daß beispielsweise eine Geste wie die wiederholte Handbewegung vom Sender weg – mit nach außen gekehrter Handfläche – einzelspachlich recht unterschiedlich interpretiert wird. Für einen deutschen oder englischen

Kommunikationspartner heißt sie soviel wie *Geh! Weiter!*, für einen nordamerikanischen Indianer oder Ostafrikaner dagegen *Komm her!* [20]

Wir werden im folgenden den Blick ausschließlich auf sprachliche Kommunikation richten. Damit soll nicht ausgedrückt werden, daß wir nur hier ›Texte‹ zu finden glauben. Wir beschränken unsere Untersuchung vielmehr auf sprachliche Kommunikation, weil wir davon ausgehen, daß die Komplexion der sprachlichen Texten zugrundeliegenden Schichten von Konstituenten und Strukturen die Grundlage für das Verständnis auch all jener nicht-sprachlichen Formen von Informationsübermittlung abgeben könnte, die – wie die erwähnte Sprache der Gebärden – eng an eine ›Übersetzung‹ in Sprache oder versprachlichtes Denken gekoppelt sind. Wir gehen also von der Hypothese aus, daß letztlich sprachliches Handeln partnerbezogenes nicht-sprachliches Handeln fundiert. Bestimmte Formen von partnerbezogenem Handeln (wie Versprechen geben, einen Schwur leisten etc.) sind nur sprachlich realisierbar.[21]

## 1.2 Textliche und nicht-textliche Äußerungen

Sprachliche Kommunikation wird im Kommunikationsakt entweder als *gesprochene* oder *geschriebene Äußerung* realisiert. In gesprochenen Äußerungen bedient sich der Sprecher eines Repertoires von Phonemen und ihnen zugeordneter prosodischer Mittel in der Kommunikation,[22] in geschriebenen Äußerungen eines Repertoires von Graphemen (insbesondere Buchstaben, Interpunktionszeichen):

/ kʌm 'bæk /        *Come back!*

Texte, das wissen wir intuitiv, kommen in beiden Äußerungsmedien (vgl. Kap. 4.2.3) vor. Zugleich auch müssen wir von der Annahme ausgehen, daß es in beiden Äußerungsmedien sowohl *nicht-textliche* wie *textliche Äußerungen* gibt. Dafür lassen sich Beispiele wie die folgenden anführen:

(1) The report quotes as an example the fact that there are only two inspectors to cover all the factories. 6.50 Songs of Praise from Ampleforth Abbey. He saw her. Acronymania.

(2) *Today's weather*

Rain will spread from the west today. It will be mild nearly everywhere, with strong to gale-force south-westerly winds in the west. Outlook: changeable.

Die vier durch Punkte als Sätze markierten Äußerungen in (1) geben in der vorliegenden Abfolge keinen Sinn, die vier Sätze in (2) – die *Überschrift* eingerechnet – dagegen geben Sinn, obwohl der fehlende Bezug auf die Kommunikationssituation des Sprechers die Informationsübermittlung noch unvollständig erscheinen läßt. Eine kontextunabhängige Zeit- und Ortsangabe *(10 February 1974* und *England)* würde (2) angemessen vervollständigen.

Die beiden Äußerungen unterscheiden sich in zweierlei Hinsicht: in (2) wird in den vier aufeinanderfolgenden Sätzen eine Reihe von sprachlichen Signalen verwandt, die sich in bestimmter Weise aufeinander beziehen:

*weather – rain – mild – winds;*
*from the west – nearly everywhere – in the west;*
*today – will spread – will be mild – outlook.*

Die Sätze sind in einer noch näher zu kennzeichnenden Weise semantisch *kohärent.*

In (1) läßt sich keine vergleichbare Form der Kohärenz auffinden. Die Sätze, Satzstücke und Einzelwörter stehen beziehungslos nebeneinander.[23]

Ein zweiter Unterschied hängt eng mit dem ersten zusammen. In (2) sind ein *Anfangssignal (Today's weather)* und ein *Schlußsignal (Outlook:)* erkennbar.[24] Die Satzfolge, so wollen wir sagen, bildet auch ein *komplettiertes* Ganzes. In (1) fehlen Signale, die Vollständigkeit *(Kompletion)* der Satzfolge andeuten könnten. Der Beginn und das Ende dieses Textstücks wirken willkürlich.

Äußerungen, die im Sinne dieser ersten groben Kennzeichnung *inkohärent* und *inkomplett* sind, die also durch Beliebigkeit in der Abfolge sprachlicher Einheiten (hier: Sätze) in einer beliebigen zeitlichen und/oder räumlichen Ausdehnung gekennzeichnet sind, werden im folgenden als *nicht-textliche Äußerungen* behandelt. Dazu gehören vor allem aus Gesprächsfetzen zusammengesetzte mündliche Äußerungen, die in Situationen mit einer Vielzahl von Sprechern und ständig wechselnder Geräuschüberlagerung (Hotelempfang, besetztes Café, Imbißraum etc). an das Ohr eines einzelnen Hörers dringen. Als *textliche Äußerungen* (kurz: *Texte*) fassen wir dagegen alle jene sprachlichen Äußerungen auf, die durch (sich überlagernde Schichten von) *Kohärenz* und *Kompletion* in der Abfolge ihrer sprachlichen Einheiten gekennzeichnet sind.

## 2. Textgruppen

Die vorgenommene Unterscheidung zwischen *textlichen* und *nicht-textlichen Äußerungen* gilt für alle Vorkommen partnerbezogenen sprachlichen Handelns. Aus der Sicht der sprachlichen Kommunikation ergibt sich allerdings erneut eine Gewichtung nach der Bedeutung der beiden Äußerungsarten: nur *Texte* zählen in differenzierter Kommunikation, *Nicht-Texte* dagegen haben sehr begrenzte kommunikative *Wirkungen* (Vermittlung von Stimmungen, Auslösung von Gefühlen; so beispielsweise eingesetzt in bestimmten Formen psychischer Folterung, um den Hörer in seinem Glauben an die Wahrnehmungsfähigkeit textlicher Äußerungen zu verunsichern). Ähnlich gilt für die *öffentlichen* Bereiche menschlichen Gemeinschaftslebens, daß *schriftliche Texte* bedeutender sind als *mündliche*. Schriftliche Texte ermöglichen den Kommunikationspartnern, die Grenzen zu überwinden, die der mündlichen Kommunikation durch Zeit, Raum und Gedächtnis gezogen sind. Schriftliche Texte tradieren menschliche Erfahrung über die Grenzen der Zeiten hinweg und verbreiten sie an jeden gewünschten Ort. Sie geben darum die Grundlage ab für alle kulturell-zivilisatorische Weiterentwicklung in menschlichen Gemeinschaften.[25]

Texte unterscheiden sich jedoch noch einmal fundamental durch die Art, wie sie sich auf die tatsächliche oder eine gedachte Welt beziehen. Wir wollen das anhand der beiden folgenden Texte erläutern:[26]

(3) *Baby taken as mother shops*

Police in cars with loudspeakers toured Burton-on-Trent, Staffs, yesterday appealing for information after a three-month-old baby had been snatched from her pram.

Cathy Whetton had been left outside a High Street supermarket while her mother, Mrs Lynette Whetton, 23, of All Saints Road, did her shopping. When the mother returned the pram had disappeared and later it was found empty 150 yards away. Police checked cars and buses and alerted neighbouring police forces.

A spokesman for the supermarket said: ›Many mothers leave children in prams and pushchairs in the covered precinct outside the shop and nobody ever thinks that something awful like this could happen.‹ [...]

(*The Observer*, 5. November 1972)

(4) At two o'clock in the morning two Hungarians got into a cigar store at Fifteenth Street and Grand Avenue. Drevitts and Boyle drove up from the Fifteenth Street police station in a Ford. The Hungarians were backing their wagon out of an alley. Boyle shot one off the seat of the wagon and one out of the wagon box. Drevitts got frightened when he found they were both dead.
›Hell, Jimmy,‹ he said, ›you oughtn't to have done it. There's liable to be a hell of a lot of trouble.‹
›They're crooks, ain't they?‹ said Boyle. ›They're wops, ain't they? Who the hell is going to make any trouble?‹
›That's all right maybe this time,‹ said Drevitts, ›but how did you know they were wops when you dumped them?‹
›Wops,‹ said Boyle, ›I can tell wops a mile off.‹
(Ernest Hemingway, *The Snows of Kilimanjaro and Other Stories*, Harmondsworth 1963, p. 93)

## 2.1 Fiktionale und nicht-fiktionale Texte

Auf den ersten Blick zeigen Text (3) und (4) eine Reihe von Gemeinsamkeiten, die die Unterschiede zwischen ihnen verdecken können. Beide Texte nämlich eröffnen mit demselben Typus von Anfangssignalen: Angaben zu *Zeit*, *Ort* und *Handlungsträgern* des Geschehens.

| | Text (3) | Text (4) |
|---|---|---|
| *Zeit* | yesterday | At two o'clock in the morning |
| *Ort* | Burton-on-Trent, Staffs | at Fifteenth Street and Grand Avenue |
| *Person* | Police; a three-month-old baby | two Hungarians; Drevitts and Boyle |

Obwohl nur der erste Text seiner Textform nach (vgl. Kap. 4) eine objektiv berichtende *news story* ist, wirkt auch der zweite Text zunächst wie eine *news story*. Beide Texte enthalten nicht nur denselben Typus von textkonstituierenden Anfangssignalen, sondern beide scheinen auch als Textganze denselben Typus zu repräsentieren: eine Art *Bericht*.

Die tiefen Unterschiede zwischen beiden Texten werden deutlich, wenn man sie auf die mit den Anfangssignalen bezeichneten Faktoren der Kommunikationssituation und des weiteren Kontextes zu beziehen versucht. Nur in Text (3) haben die zitierten Anfangssignale kontextunabhängige Referenz[13] auf eine einmalige, von Sprecher und Hörer geteilte Kommunikationssituation: einen Zeitpunkt in der *öffentlichen Zeitrechnung*, der mit dem Erscheinungsdatum des *Observer* vom 5. November 1972 festgelegt ist; einen Ort, der als Stadt in Mittelengland, 30 Meilen nordöstlich von Birmingham, auf einer *gültigen Landkarte* verzeichnet ist; und Personen, die zu dem genannten Zeitpunkt an dem genannten Ort als *englische Staatsbürger* nachweislich gelebt haben. In dem Sinne, daß Text (3) also eine bestimmte konkrete Situation referentiell abbildet, gehört er zu jener Textgruppe, die man *faktische Texte* nennen könnte.

Obwohl auch Text (4) sich durch die zitierten Anfangssignale auf einen Zeitpunkt, Ort und zum Teil sogar namentlich vorgestellte Handlungsträger bezieht, ist er nicht faktisch in dem eben erläuterten Sinne. Die Signale sind kontextabhängig, aber situationsabstrakt, indem sie keine unmittelbare Referenz in einer einmaligen Situation haben, in der sich der Sprecher *und der Hörer* befinden. Es verhält sich vielmehr so, daß die Angaben zu Zeit, Ort und Person eine autonome *fiktive* Situation schaffen, die nur *innerhalb des einmaligen Textganzen* von einem beliebigen Hörer überprüft werden kann. Die dargestellte Situation ist also nicht in die tatsächliche Kommunikationssituation zwischen dem sprechenden Autor Hemingway und einem individuellen Adressaten einzubetten, sondern enthält eine fingierte Wirklichkeit, die erst durch einen beliebigen aufnehmenden Adressaten neu in Beziehung gesetzt wird zur jeweiligen historischen Wirklichkeit mit konkreten Situationen.

Auch in jenen Fällen, in denen der Autor Verweise auf historische Daten, Schauplätze und Personen in einen fiktionalen Text aufnimmt (wie in *historischen Dramen,* im *Dokumentationsspiel* der Nachkriegszeit), gilt der genannte Unterschied. Der Autor wählt dann andere Signale, die der mit Texten erfahrene Rezipient als Merkmale für Texte mit fingiertem Situationsbezug interpretieren kann (vgl.

etwa Dialoge in textlich delimitierten Situationen, die nur einem allwissenden Autor, nicht aber einem historischen Sprecher zugänglich sein konnten, zum Beispiel in Rolf Hochhuths *Der Stellvertreter).* Man kann davon ausgehen, daß wenn nur eine der Textkonstituenten fiktiven Situationsbezug hat, also nicht in die einmalige Kommunikationssituation zwischen Sprecher und Hörer eingebettet werden kann, stets der gesamte Text als fiktional markiert gilt, auch wenn andere Textkonstituenten (insbesondere die auf Zeit, Ort und Personen verweisenden) kontextunabhängigen Situationsbezug haben.

In dem Sinne, daß Text (4) also situationsabstrakt ist und jeweils neu erst über das referentielle Vorwissen eines individuellen Adressaten mit der historischen Welt verknüpft werden kann, gehört er zur *Textgruppe* der *fiktionalen Texte.* Der zitierte fiktionale Text ist in einer *short short story* manifestiert, andere werden in konventionellen ›literarischen Gattungen‹ (s. dazu unten Kap. 4) mit mehr oder weniger festgelegten *Kompositionsmustern* (Kap. 4.4) wie *Sonett, Ballade, Fabel, Novelle, Roman, Drama* usw. realisiert. Da alle vorkommenden Texte durch das Vorhandensein bzw. Nichtvorhandensein des Merkmals [fiktional] gekennzeichnet sind, nennen wir die oben zunächst als *faktisch* bezeichneten Texte *nicht-fiktionale Texte.* Fiktionale und nicht-fiktionale Texte bilden entsprechend die beiden großen *Textgruppen,* in die alle vorkommenden Texte eingeordnet werden können.[27]

Es ist anzumerken, daß sich mit der hier getroffenen Unterscheidung traditionelle Gruppierungen des Textvorkommens – etwa die in ›Literatur‹ und ›Sachprosa‹ – nur äußerlich decken. Die traditionellen Kategorien zur Definition von Literatur sind meist nicht linguistischer, sondern außerlinguistischer Natur gewesen. Vor allem waren es moralische Kategorien, mit deren Hilfe Texte mehr oder weniger subjektiv nach ihrer Qualität und Gültigkeit gruppiert wurden. Die vieldiskutierte Streitfrage beispielsweise, ob ein pornographischer Roman im traditionellen Sinne ›Literatur‹ sei oder nicht, geht den Moralisten an, nicht aber den textlinguistisch orientierten Sprachwissenschaftler. Ebensowenig wäre für den Textlinguisten gewonnen, wenn er sich an der bereits zitierten Definition von Literatur als für alle Textvorkommen einer Sprachgemeinschaft – vom Gedicht bis zur Zeitungsanzeige – geltend orientieren würde. Die Klassifizierung von Texten auf Grund des Merkmals [fiktional] ist demgegenüber an grundlegenden Konstitutionsweisen von Texten in Relation zur tatsächlichen Kommunikationssituation abzulesen.

## 2.2 Textverstehen

Die unterschiedliche Konstitutionsweise und Leistung von Texten in bezug auf Kommunikationssituation und Kontext hat Konsequenzen sowohl für die textliche Machart wie für das Textverstehen beim Adressaten. Da fiktionale Texte situationsabstrakt sind, erfordern sie zur Sicherung des Textverstehens einen weit höheren Grad an linguistischer Kohärenz und Kompletion – der insbesondere durch *Rekurrenzen* auf mehreren sprachlichen Ebenen etabliert wird – als nichtfiktionale Texte. Im nicht-fiktionalen Text kann beispielsweise die bloße Namensnennung zur Identifikation von Person und Ort genügen, im fiktionalen Text dagegen hängt die mögliche Identifikation vom linguistischen Detail der Personen- und Ortskennzeichnung ab. Man vergleiche etwa die Angabe »Mrs Lynette Whetton, 23, of All Saints Road« mit der Personenkennzeichnung, die Hemingway auf der ersten Seite seiner *long short story The Old Man and the Sea* zur Identifikation des alten Fischers gibt:

(5) He was an old man who fished alone in a skiff in the Gulf Stream and he had gone eighty-four days now without taking a fish. [...]
The old man was thin and gaunt with deep wrinkles in the back of his neck. The brown blotches of the benevolent skin cancer the sun brings from its reflection on the tropic sea were on his cheeks. The blotches ran well down the sides of his face and his hands had the deep-creased scars from handling heavy fish on the cords. But none of these scars were fresh. They were as old as erosions in a fishless desert.
(London 1952, pp. 5 f.)

Die Fiktionalität eines Textes hat offensichtlich nicht nur zur Konsequenz, daß der Sprecher seinen Text dichter strukturieren muß, um die fehlende Situationskonkretheit auszugleichen. Der Verfasser eines fiktionalen Textes setzt zugleich auch eine andere Art des Textverstehens voraus als der eines nicht-fiktionalen Textes. Wir können auch sagen: das *Vorwissen,* das beim Adressaten eines fiktionalen bzw. nicht-fiktionalen Textes erwartet wird und damit adäquates Textverstehen erst möglich macht, ist jeweils anders geartet.[28]

Das Vorwissen, das beim Adressaten eines nicht-fiktionalen Textes erwartet wird, umfaßt im wesentlichen Erfahrungen mit faktisch gegebenen Erscheinungen und Ordnungen der historisch gewordenen Umwelt, in der der Adressat lebt. Sender und Adressat müssen über in den Grundzügen gleiche *Wirklichkeitsmodelle* verfügen. »Police in cars with loudspeakers« setzt als Vorwissen voraus, daß der Adressat die Aufgaben der Polizei in England, Automobile, Lautsprecher und die zugeordneten Handlungszusammenhänge kennt; sie sind Elemente eines zeitgenössischen Wirklichkeitsmodells. Ist derartiges referentielles Vorwissen nicht beim Adressaten vorhanden – etwa weil der Adressat noch sehr jung ist oder in einer anders geordneten Gemeinschaft lebt –, dann muß das Vorwissen zur Sicherung des Textverstehens im Rahmen einer *Textinterpretation* erst aufgebaut werden. Nicht-fiktionale Texte werden stets so abgefaßt, daß die vom Sprecher jeweils anvisierte Adressatengruppe, zum Beispiel Leser einer englischen Sonntagszeitung der *quality press,* über das allgemeine referentielle Vorwissen verfügt, das zum Verständnis der neuen Information notwendig ist.

Textinterpretation wird erst dann nötig, wenn die gleiche Information eines Textes einer Adressatengruppe mit anderen Verstehensvoraussetzungen (zum Beispiel Lesern der *popular press*, deutschen Studenten) vermittelt werden soll. In der Öffentlichkeit, etwa in der angeführten Informationsübermittlung durch die Presse, wird die Funktion von Textinterpretation entweder durch Kommentare *(comments)* geleistet, die den Nachrichten *(news)* als *views* ergänzend beigegeben werden, oder durch die sprachliche Anpassung an den jeweiligen Adressatenkreis. Den zuletzt genannten Weg eines adressatengemäßen Sprach*stils* können die beiden folgenden Texte erläutern; es liegt ihnen derselbe, nämlich durch eine Nachrichtenagentur vermittelte Informationskern über die Verhaftung Bernard Cornfelds zugrunde:

(6) *Mr Bernard Cornfeld arrested in Geneva*
From Our Correspondent
Geneva, May 14
Mr Bernard Cornfeld, the American financier, was arrested in Geneva today and is being detained at the St Antoine prison. The arrest was on a warrant alleging fraud, mismanagement of funds and abetting speculation.
Mr Cornfeld, creator and former managing director of Investors Overseas Services (IOS), will appear in court on Wednesday morning for a preliminary hearing of the charges and a decision on whether he should be remanded in custody or on bail.
He was arrested at the Villa Elma, a lakeside mansion bought by him when IOS was at its height.
(*The Times*, 15. Mai 1973)

(7) *Tycoon held in Switzerland*
*Multi-Millionaire Bernie Cornfeld, former whiz kid of international finance, was arrested by detectives yesterday.*
He was held in Geneva, Switzerland, on charges involving fraud, mismanagement, and abbetting [*sic*] speculation.
He was remanded in custody until tomorrow, when a battery of international lawyers will apply to a Swiss court for bail. A police spokesman said that charges were connected with the complex question of IOS (Investors Overseas Services) – a vast money-making machine.
»King Bernie« – as he likes to be called – had been staying at his palatial chateau in the French village of Frangy, a few miles across the frontier from Geneva.
(*Daily Mirror*, 15. Mai 1973)

Die *story* des *Daily Mirror* ist dem Leserkreis der *popular press* vor allem durch die Substitution wichtiger Fachtermini angepaßt. Informelle Wendungen wie »the whiz kid of international finance« treten für »the financier« in der *Times* ein; »a vast money-making machine« für »Investors Overseas Services«; »King Bernie« für »former managing director«; »a battery of international lawyers« für »appear in court«.

Fiktionale Texte sind dagegen, wie wir sagten, situationsabstrakt, verlangen also nur wenig spezielles Vorwissen. Sie bauen vielmehr erst über die in ihnen dargestellte fiktive Wirklichkeit mit Erscheinungen und Ordnungen ein referentielles Vorwissen im Adressaten auf (vgl. Text [5]), das sogar in Gegensatz zum normalen Wahrheitswert nicht-fiktionaler Aussagen stehen kann (wie in der *Sage*, dem *Märchen*, dem *Witz* usw.).

Das Vorwissen, das beim Adressaten eines fiktionalen Textes erwartet wird, umfaßt zugleich Kenntnisse über Texte (metasprachliches textlinguistisches Vorwissen zum Beispiel über die Bedeutung von Untertiteln wie *Novelle, Roman* etc. für den nachfolgenden Text) und allgemein gültige Erfahrungen mit den faktisch gegebenen Erscheinungen und Ordnungen der historischen Umwelt, aus denen sich das Wirklichkeitsmodell des Adressaten herleitet (allgemeines referentielles Vorwissen).

Die Andersartigkeit des hier erwarteten Vorwissens erklärt, warum fiktionale Texte vom Adressaten jeweils individuell verstanden werden können und sollen und damit stets durch einen Bereich der »Unbestimmtheit« (W. Iser) gekennzeichnet sind. Auf einer elementaren Ebene des Textverstehens, das schlicht an den Aufbau der fiktiven Wirklichkeit anknüpft, könnte Hemingways *The Old Man and the Sea* beispielsweise gelesen werden als Vermittlung von Kenntnissen über das Angeln von Sägefischen. Auf einer umfassenderen Ebene des Textverstehens, das an die dargestellten Erfahrungen mit der menschlichen Umwelt anknüpft, könnte die Kurzgeschichte adäquater als Aussage über die seelische Belastbarkeit des Menschen durch ständige Erfolglosigkeit gelesen werden. Auf einer noch umfassenderen Ebene des Textverstehens, die die beiden erstgenannten einschließt und an die vorliegende Sprach- und Textgestaltung anknüpft, kann *The Old Man and the Sea* als sprachliches Kunstwerk gelesen werden, das in Sprache ausdrückt, was es sagt (vgl. Kap. 4.4 zu *Konfiguration*), und das, indem es den Adressaten diese Korrespondenzen entdecken läßt, ästhetisches Vergnügen bereitet.

Für das Verstehen fiktionaler Texte gilt – entsprechend den Ebenen, auf denen sie verstanden werden können/sollen – in noch umfassenderer Weise als für nicht-fiktionale Texte, daß Mängel des Textverstehens im Rahmen von *Textinterpretationen* ausgeglichen werden müssen. Während die Interpretation nicht-fiktionaler Texte im wesentlichen Wissen über faktische Erscheinungen und Ordnungen der historischen Umwelt ergänzt, vermittelt die Interpretation fiktionaler Texte im wesentlichen Wissen über menschliche Grunderfahrungen des Autors mit dieser Umwelt und die Formen, in denen er solche Grunderfahrungen versprachlicht und in Texte umgesetzt hat. Der Vermittlung von Textverstehen durch die Interpretation von Texten beider *Textgruppen* ist darum hohe Bedeutung beizumessen für die Ausbildung einer differenzierten Textkompetenz des Sprechers/Hörers.

# 3. Texttypen

Die Unterscheidung zwischen einer Textgruppe *fiktionaler* und *nicht-fiktionaler Texte* hat bereits gezeigt, welche Bedeutung der *Referenz* von Texten, d. h. der in Texten für den Hörer enthaltenen Anweisung, sich auf bestimmte Elemente des Wirklichkeitsmodells zu beziehen, ganz allgemein zukommt.[29] Im folgenden wollen wir diese referentiellen Bezüge (Referenzanweisungen) genauer analysieren und zugleich gegenüber nicht-referentiellen textinternen Verknüpfungen (Konnexionsanweisungen) abgrenzen. Wir können dabei von der in Kap. 1.2 gegebenen Definition von Texten generell ausgehen.

Texte, so sagten wir dort, sind durch *Kohärenz* und *Kompletion* gegenüber nicht-textlichen Äußerungen markiert. Da alle textlichen Äußerungen außerdem durch das Merkmal [±fiktional] gekennzeichnet sind, ist zu erwarten, daß auch die Kohärenz und Kompletion von Texten entscheidend durch das Vorhandensein oder Fehlen von referentiellen Bezügen der Textelemente mitbestimmt ist. In der Tat kann gezeigt werden, daß hier wichtige Einsichten in die Unterscheidung zwischen *Textkonstituenten* generell und solchen für dominante *Texttypen* zu gewinnen sind.

## 3.1 Sequenzen und Sequenzformen

Der eingangs als Text zitierte *Wetterbericht* (vgl. Text [2]) wird durch die Überschrift *Today's weather* eröffnet. Der Blick in den darauf folgenden Text zeigte, daß jedes dieser beiden Lexeme durch mit ihnen verknüpfte Lexeme fortgesetzt wird. Die Zeitangabe *Today's* wird durch *will spread, will be mild* und *outlook* fortgesetzt. Das Lexem *weather* wird fortgesetzt durch *rain, mild* und *winds.* In diesen elementaren semantischen Beziehungen zwischen aufeinander folgenden sprachlichen Einheiten – man hat sie als *Isotopieebenen* in Texten zu beschreiben versucht –[30] ist bereits das Grundprinzip aller kohärenten Texterstellung enthalten. Texte werden in der Regel eröffnet mit Signalen, die als Bezugselemente oder (Sequenz)*Initiatoren* für spätere Signalfolgen dienen. Explizite Initiatoren sind zum Beispiel *at first, at the beginning, from the outset* etc. Im Gegensatz zu den texteröffnenden Initiatoren für die Textentfaltung kommen

alle späteren Signalfolgen, die sich auf sie in irgendeiner Weise rückbeziehen, durch *Sequenzsignale* zustande.[31] Darüber hinaus kann der Sprecher auch innerhalb eines Textes neue *Sequenzen* durch zusätzliche Initiatoren eröffnen (vgl. die Einführung neuer Personen in Romanen, Dramen usw.). Wird schließlich eine Sequenz, wie die oben angeführte *temporale Sequenz* in einem *Wetterbericht*, durch ein deutliches Schlußsignal beendet (vgl. *outlook*), so sprechen wir von einem (Sequenz)*Terminator.* Explizite Terminatoren sind zum Beispiel Formen wie *at last*, *finally*, *in sum*, *thus* etc. Zusammenfassend sprechen wir von *Sequenzformen*, durch die Texte in der erläuterten Weise eröffnet, entfaltet und beendet werden.
Ein Blick zurück auf Text (2) mag an dieser Stelle die Frage aufwerfen, wo der Ortsinitiator für das lokale Sequenzsignal *from the west* zu finden sei. Dazu ist zu sagen, daß *from the west* einen von Sprecher und Hörer *präsupponierten* Ortsinitiator *in England* hat, der von vornherein durch die Kommunikationssituation für Sprecher und Hörer als gemeinsames Vorwissen festgelegt ist: nämlich durch die Veröffentlichung des Textes in der englischen Sonntagszeitung *The Observer.* Würde der Wetterbericht zum Beispiel an einem Ort außerhalb Englands mündlich übermittelt – etwa durch eine Rundfunkstation in Deutschland –, so müßte die Eröffnung *Today's weather in England* heißen.

## 3.2 Texteröffnung und Text

In unserem Beispiel (2) bildet die *Überschrift* den Ausgangspunkt für die nachfolgende Textentfaltung in mehreren Sätzen. Als Texteröffnung wählbare Struktureinheiten, die Teil eines potentiellen Textes sind und die Länge von Wortgruppen (insbesondere in konkret manifestierten Überschriften) bzw. von Sätzen oder umfassenderen Einheiten haben (texteinleitende Paragraphen, Sektionen usw.) und durch nachfolgende Sequenzen zu Texten entfaltet werden können, wollen wir *Textbasen* nennen.[32] Insofern diese strukturellen Textbasen in konkret manifestierten Texten mit Lexemen gebildet werden, die Referenz haben, sich also auf bestimmte Ausschnitte des Sprechern und Hörern gemeinsamen Wirklichkeitsmodells beziehen, stellen sie *thematische Textbasen* dar. Von der Kommunikationssituation her gesehen, gibt der Sprecher bestimmte allgemeine Verweise auf Faktoren des ihm und seinen Hörern gemeinsamen Wirklichkeitsmodells in die Textbasis mit der generellen Intention ein, sie zu einem Text zu entfalten. Der Sprecher erzeugt einen Text, indem er – semantisch gesehen – ein einzelne Satzbedeutungen integrierendes Thema erzeugt, über das er sich äußern will.[32a] So thematisiert die Textbasis *Today's weather in England* allgemein ein situatives Phänomen *(weather)* in Relation zu einem kontextabhängigen Zeitfaktor *(Today's)* und einem kontextunabhängigen Raumfaktor *(in England)*. Die folgende Einleitung in einen *Leitartikel* realisiert eine thematische Textbasis in der Extension eines Paragraphen:

(8) Everywhere in the world today, violence seems to mock the season of good will which we are now celebrating [i.e. Christmas]. At one end of the scale, there is Vietnam; at the other, the hooliganism of the football crowds. Aggression appears to be a characteristic of our times: everybody says it is growing. But is it?
(*The Observer*, 24. Dezember 1967)

Thematische Textbasen werden in Texten durch mehr oder weniger stark konventionalisierte *Einleitungen (Introduktionen)* innerhalb bestimmter Kompositionsmuster (vgl. Kap. 4.4) in vielfältiger Weise variiert (man denke etwa an das sogenannte *intro* einer *news story*, das in genereller Weise in nur ein oder zwei einleitenden Sätzen die Fragen *Wo? Wann? Wer? Was? Warum?* beantworten muß).

Betrachtet man nun genauer, welche thematischen Textbasen zur Texteröffnung in Texten vorkommen, so fällt auf, daß keinesfalls stets dieselben Verweise auf situative Faktoren in Textbasen thematisiert werden. Es gibt thematische Textbasen, die zum Beispiel völlig ohne Zeit- und Ortsinitiatoren auskommen. Wenn wir die Einheit eines texteröffnenden *einfachen Satzes* für die Textbasis wählen, so läßt sich etwa die folgende thematische Textbasis ohne Zeit- und Ortsinitiator anführen:

(9) *The brain has ten million neurones.*

Obwohl die Zahl der möglichen konkreten Füllungen thematischer Textbasen allein von der Länge eines einfachen Satzes praktisch unendlich ist – es gibt kaum zwei Texte, die jenseits konventioneller Einleitungsformeln wie *Es war einmal* in *Märchen* mit den gleichen Worten oder Sätzen eröffnen –, ist die Zahl ihrer möglichen syntaktischen Grundstrukturen höchst begrenzt. Das hängt zunächst einmal damit zusammen, daß die Zahl der syntaktischen Strukturmuster von einfachen Sätzen auf Grund der Eigenschaften des gewählten Verbs recht begrenzt ist. Das syntaktische Strukturmuster von (9) mit dem Verb *have* ist eines dieser Grundmuster (NG + $V_{have}$ + NG), das in Opposition steht zu Strukturmustern mit Verben wie *be, land, climb, give* oder *prove*.[33] Es bietet sich darum an im Rahmen der Frage nach den Satzgliedern, die in thematischen Textbasen für die Textentfaltung enthalten sein sollten, nicht nach der generellen Textbasis für jeden Text des *Textuniversums* zu suchen, sondern die *Typologie der Textbasen* zu erforschen, die jeweils für ganz bestimmte Gruppen von Textvorkommen mit bestimmten Strukturmustern für die Textentfaltung gewählt werden.[34] Wir werden also zunächst die Strukturmuster syntaktisch einfacher thematischer Textbasen genauer analysieren und auf ihre jeweils typische Leistung hin untersuchen.

## 3.3 Texttypische thematische Textbasen

Die thematischen Textbasen aller textlichen Äußerungen lassen sich wahrscheinlich auf 6 Grundmuster zurückführen, die jeweils typisch sind für eine ganze Klasse von Texten, die wir – im Unterschied zu Textformen (Kap. 4.3) – *Texttypen* nennen wollen. *Texttypische thematische Textbasen* führen jeweils die obligatorischen Initiatoren für die thematische Entfaltung eines Textes in *Sequenzen* ein, die den komplettierten Text als einen von 5 grundlegenden *Texttypen* ausweisen (zur möglichen allgemeinen Begründung dieser Klassifikation vgl. unten Kap. 3.5 und 3.6).[35] Die erste dieser texttypischen thematischen Textbasen, die wir als die *deskriptive* bezeichnen, wird von Sprechern für textliche Äußerungen über Erscheinungen und Veränderungen *im Raum* gewählt:

(10) *Thousands of glasses were on the tables.*
$S(NG) + P(V_{be/non\text{-}change} + \mathit{Past/Present}) + A(ADV_{loc})$

Die *deskriptive Textbasis* ist eine einfache SPA-Struktur mit einer Verbform von *be* oder einem Verb der Nicht-Veränderung *(non-change)* im Präsens oder Imperfekt (*stand, lie, sit* etc.) als Prädikat und einem Ortsadverb (bzw. einer gleichwertigen adverbialen Ortsbestimmung) als adverbiale Ergänzung. Das Ortsadverb, das kontextabhängig sein kann (*deiktischer* Bezug auf Faktoren in der Kommunikationssituation: *on the tables*) oder kontextunabhängig *(in England)*, setzt einen räumlichen Bezugsrahmen, in den die mit der Nominalgruppe der Subjektstelle (S) eingeführten Erscheinungen durch die Verbform von *be* (oder einem vergleichbaren Verb) als existent eingeführt werden.

Wir nennen diesen strukturellen *Satztyp* auf Grund seiner spezifisch raumbezogenen referentiellen Leistung, die er mit lexikalischer Füllung hat, den *phänomenregistrierenden Satz.* Eine elementare Variante dieses Satztyps im Englischen sind Sätze, die mit *There is/are* eröffnen *(There were thousands of glasses* oder *There were thousands of glasses on the tables).*

Die zweite der texttypischen thematischen Textbasen, die wir als die *narrative* bezeichnen können, wird für textliche Äußerungen über Erscheinungen und Veränderungen *in der Zeit* gewählt:

(11) *The passengers landed in New York in the middle of the night.*
$S(NG) + P(V_{change} + Past) + A(ADV_{loc}) + A(ADV_{temp})$

Die *narrative Textbasis* ist eine einfache SPA-Struktur mit einem Verb der Veränderung *(change)* im Imperfekt als Prädikat und Adverbien des Ortes und der Zeit als adverbiale Ergänzung. Das Zeitadverb, das kontextabhängig *(today)* oder kontextunabhängig sein kann *(on 5 November 1972)*, setzt einen zeitlichen Bezugsrahmen, in den die mit der Nominalgruppe in der Subjektstelle (S) eingeführten Erscheinungen durch die Verbform als sich verändernd oder als handelnd eingeführt werden. Auf Grund seiner spezifisch zeitbezogenen referentiellen Leistung bei entsprechender lexikalischer Füllung nennen wir diesen strukturellen *Satztyp* den *handlungsaufzeichnenden* (eigentlich: *veränderungsaufzeichnenden*) *Satz.*

Die dritte der texttypischen thematischen Textbasen, die wir als die *expositorische* bezeichnen, wird für textliche Äußerungen über die Zerlegung *(Dekomposition)* oder Zusammensetzung *(Komposition)* von begrifflichen *Vorstellungen der Sprecher (Konzepten)* gewählt. Wir können zwei Grundmuster unterscheiden, eines für *synthetische Exposition* und eines für *analytische Exposition:*

(12) *One part of the brain is the cortex.*
S(NG) + P($V_{be}$ + *Present*) + C(NG)

(13) *The brain has ten million neurones.*
S(NG) + P($V_{have}$ + *Present*) + C(NG)

Die *Textbasis für synthetische Exposition* (12) ist eine einfache SPC-Struktur mit einer Verbform von *be* im Präsens als Prädikat und einer Nominalgruppe als Ergänzung *(Complement).* Die Nominalgruppe der Ergänzung (C) identifiziert das mit der Nominalgruppe in (S) vorgestellte Phänomen durch einordnende Benennung (Namengebung, Einordnung in eine Klasse, Einordnung in eine Rolle). Auf Grund der spezifisch einordnenden referentiellen Leistung bei entsprechender lexikalischer Füllung bezeichnen wir diesen strukturellen *Satztyp* als den *phänomenidentifizierenden Satz.* Typische Varianten dieses Satztyps sind Sätze mit Verben, die als semantische Komponente den Bezug auf ›Definition‹ enthalten: *refer to, be defined as, be called.*

Die *Textbasis für analytische Exposition* (13) ist eine einfache SPC-Struktur mit einer Verbform von *have* im Präsens als Prädikat und einer Nominalgruppe als Ergänzung (C). Die Nominalgruppe der Ergänzung ist mit dem in der Nominalgruppe von (S) vorgestellten Phänomen durch eine *Teil-von*-Relation verknüpft. Auf Grund dieser referentiellen Leistung bezeichnen wir diesen strukturellen *Satztyp* als *phänomenverknüpfenden Satz.* Typische Varianten dieses Satztyps sind Sätze mit Verben, die das semantische Merkmal [+Teile eines Ganzen] enthalten: *consist of, contain, comprise* etc.

Die vierte der texttypischen thematischen Textbasen, die wir als die *argumentative* bezeichnen, wird für textliche Äußerungen gewählt, die Beziehungen *(Relationen)* zwischen *Konzepten oder Aussagen der Sprecher* herstellen:

(14) *The obsession with durability in the arts*
*is not permanent.*
S(NG) + P($V_{be}$ + *Not* + *Present*) + C(ADJ)

Die *argumentative Textbasis* ist eine einfache SPC-Struktur mit einer negierten Verbform von *be* im Präsens als Prädikat und einem Adjektiv als Ergänzung. Das Adjektiv in der Ergänzung (C) attribuiert dem in der Nominalgruppe von (S) vorgestellten Phänomen eine inhärente oder nicht-inhärente Qualität, die Attribution wird jedoch durch die negierte Verbform als nicht geltend hingestellt. Wir nennen diesen *Satztyp* bei entsprechender lexikalischer Füllung den *qualitätattribuierenden Satz.* Eine häufige Variante dieses Satztyps sind Sätze mit einer entfalteten Negativ-/Affirmativopposition von Verbalgruppen, die durch den kontrastiven Koordinator *but* verknüpft sind *(The obsession with durability in the arts is not permanent, but [is] subject to change).*

Die fünfte und letzte der texttypischen thematischen Textbasen, die wir die *instruktive* nennen, wird für textliche Äußerungen gewählt, die als planende Handlungsanweisungen für zukünftiges Verhalten des Senders (*ich/wir*-gerichtete Instruktion) oder des Adressaten (*du/ihr*- und *er/sie/es*-gerichtete Instruktion) gelten sollen:

| | |
|---|---|
| (15) *Stop!* | P(V + INF) |
| (16) *Be reasonable!* | P(V + INF) + C(ADJ) |
| (17) *Be reasonable for a moment!* | P(V + INF) + C(ADJ) + A($ADV_{temp}$) |

Die *instruktive Textbasis* wird repräsentiert durch den *Imperativ* mit einer einfachen P-, PC- oder PCA-Struktur. Verneinte Befehle werden im Englischen mit *Don't* eröffnet. Auf Grund seiner spezifisch handlungsbezogenen referentiellen Leistung bei entsprechender lexikalischer Füllung nennen wir diesen strukturellen *Satztyp* den *handlungsfordernden Satz.* Elementare Varianten dieses Satztyps im Englischen sind Imperative, die mit dem Subjekt eröffnen. Sie betonen entweder den Zwang *(You be reasonable!)* oder die Auswahl von Adressaten (Aufnahme eines *Vokativs* in die Satzstruktur) für die Handlungsanweisung *(You come over here, John, and you stay where you are!).*

Weitere wichtige Varianten des handlungsfordernden Satzes sind SP(C)(A)-Strukturen, in denen die Verbalgruppe durch die Hilfsverben *shall, should* oder *must* bzw. die Semihilfsverben *be to* und *have to* modifiziert wird. Die Variante des handlungsfordernden

Satzes mit *shall*-Modifikation ist ein spezifisches Merkmal in englischen *Gesetzestexten:*

(18) 2. (1) The Colonial Laws Validity Act, 1865, *shall* not apply to any law made after the commencement of this Act by the Parliament of a Dominion.
(2) No law and no provision of any law made after the commencement of this Act by the Parliament of a Dominion *shall* be void or inoperative on the ground that it is repugnant to the law of England, or to the provisions of any existing or future Act of Parliament of the United Kingdom...
*(The Statute of Westminster, 1931;* zitiert nach E. N. Williams, *A Documentary History of England*, Bd. 2 [1559–1931]. Harmondsworth 1965, p. 281)

## 3.4 Texttypische Sequenzformen

Die Bedeutung der texttypischen Textbasen liegt darin, daß sie jeweils jenen obligatorischen Initiator enthalten, der in der Entfaltung des anschließenden Textes durch *dominante Sequenzen* fortgesetzt wird. Wir können das an folgendem Textbeispiel erläutern (die einzelnen Sätze werden von uns numeriert):

(19) (1) It happened during one of the great storms of the nineteenth century. (2) There was a small schooner on the run from Falmouth to Southampton. (3) She met stiffer weather than she bargained for, stood out into the Channel for an offing and lost herself. (4) The wind increased, beyond a gale, beyond a storm, became more or less a hurricane. (5) At last there was nothing to do but run before it.
(William Golding, »The English Channel«, in: *The Hot Gates and Other Occasional Pieces.* New York 1967, p. 42)

Der Text eröffnet mit einem Satz, der sich auf die *narrative Textbasis* ohne Ortsadverb zurückführen läßt (der Ortsinitiator ist in der Überschrift »The English Channel« enthalten). Die texttypisch dominante Sequenz knüpft an den *temporalen Initiator* »during one of the great storms of the nineteenth century« an. Dieser Initiator wird im vorliegenden Text fortgesetzt durch Tempusformen des Imperfekts, die ein zeitliches Nacheinander *(Dann ..., und dann ...)* implizieren:

(19.2) *was* ... on the run
(19.3) *met* ..., *stood* out into ..., and *lost* herself
(19.4) *increased* ..., *became* ...

Die aufgeführten Tempusformen des Imperfekts fungieren als *temporale Sequenzsignale* im Text.[36] Das Ende der Sequenz wird durch den expliziten *temporalen Terminator* »At last« signalisiert. Die dominante texttypische Sequenz wird hier also durch *temporale Sequenzformen* gebildet. Die durch jeweils spezifische Sequenzen produzierte Textkohärenz und Textkompletion bildet eine spezifische *Textstrukturierung.* Eine Textstrukturierung ist *dominant,* wenn sie das Ergebnis einer Sequenzbildung ist, die einen texttypischen Initiator entfaltet. In *narrativen Texten,* so haben wir gesehen, ist das Ergebnis eine dominante *temporale Textstrukturierung.* Wir sprechen darüber hinaus von einer *subsidiären Textstrukturierung,* wenn sie das Ergebnis einer Sequenzbildung ist, die nicht texttypisch besetzte Initiatoren (kotextfreie Sequenzformen) entfaltet. Das gilt etwa für die in allen Texttypen begegnende *klimaktische Textstrukturierung,* die der temporalen Struktur des zitierten Textes (19) als subsidiäre Textstrukturierung zugrundeliegt (vgl. zum Beispiel die Komparativformen, die der Klimax *lost herself* vorausgehen).

*Deskriptive Texte* sind demgegenüber durch *lokale Sequenzformen* gekennzeichnet, die eine dominante *lokale Textstrukturierung* etablieren:

(20) I write these notes each morning at breakfast *on the large back terrace of the Residence.* It is shaded by a large covered awning (in India, a *shamiana*) extending to five steel masts *at the outer side. Around the edge* is a ring of extravagantly colored potted petunias and ferns. *Beyond* is the deep green grass, and more flowers and shrubbery *on the borders.*
(John Kenneth Galbraith, *Ambassador's Journal: a Personal Account of the Kennedy Years.* New York 1969, p. 91)

Der *lokale Initiator* »on the large back terrace of the Residence« wird fortgesetzt durch die lokalen *Sequenzformen* »at the outer side«,

»Around the edge« und »Beyond«. Als *lokaler Terminator* wird im vorliegenden Text »on the borders« verwandt.

Bei genauerem Zusehen wird deutlich, daß auch die lokale Sequenz nicht allein durch *explizite* adverbiale Sequenzformen gebildet wird. Lexeme wie *shaded by, awning, extend to* und *ring* enthalten jeweils semantische Merkmale, die ihrerseits die explizite lokale Sequenz durch weitere Angaben über *Positionen und Richtungen im Raum* stützen. Im Gegensatz zu den *expliziten Sequenzformen* in Texten nennen wir die durch einzelne Bedeutungsmerkmale von Substantiven, Verben und Adjektiven gebildeten *implizite Sequenzformen.*

*Expositorische Texte* sind durch Sequenzformen markiert, die eine dominant in Elemente zerlegende oder *analytische Textstrukturierung* ausbilden. Es sind dies einerseits *explizite explikatorische Sequenzformen,* die – in Ergänzung phänomenverknüpfender Sätze – eine partikularisierende Relation mit vorausgehenden Aussagen signalisieren wie *namely, incidentally, for example, for instance, in other words.* Andererseits sind es *explizite additive Sequenzformen,* die eine Ähnlichkeitsrelation mit vorausgehenden Aussagen anzeigen: *similarly, also, too, equally, not . . . either.* Einige der additiven Sequenzformen haben gleichzeitig auch eine anreichernde *(inkrementale)* Funktion: *in addition, above all, on top of it all:*

(21) The most comprehensive element of the drama is plot, which Aristotle called the soul of tragedy, for that is how we perceive and remember the play, the language, and the characters. *That is,* we remember these things in the context of their relations to one another and this is the pattern we call ›plot‹ and ›plot structure‹.
(G. B. Tennyson, *An Introduction to Drama.* New York 1967, p. 13)

*Argumentative Texte* sind durch *explizite kontrastive Sequenzformen* gekennzeichnet. Sie erstellen – in Ergänzung qualitätattribuierender Sätze – eine dominante *dialektische Textstrukturierung.* Kontrastive Sequenzformen sind Formen, die eine Relation des Unterschiedes zu vorausgehenden Aussagen signalisieren: *but, conversely, by contrast, by way of contrast, however, yet, still, in any case* etc.

(22) I worry more than a little about Berlin and the position in which it places the President. Obviously there must be some negotiation. *But* in the meantime the advocates of a hard line, so-called, are having a field day. Their position is strategically magnificent. They can call for everything up to and including nuclear catastrophe *rather than* yield an inch. For this, they get great applause for their heroism. The President, *however*, must be more sensible; nuclear destruction is not likely to be popular with the average voter. So he must strike a bargain of some sort. Then the hard man can assail him for weakness. So they are unbeatable.
(John Kenneth Galbraith, *Ambassador's Journal: a Personal Account of the Kennedy Years*. New York 1969, p. 140)

*Instruktive Texte* schließlich sind durch explizite *enumerative Sequenzformen* markiert wie in Sequenzen, die mit Grundzahlen gebildet werden *(one, two, three ...)*, mit Ordnungszahlen *(first, second, third ...)*, Buchstaben des Alphabets *(a, b, c ...)* oder bestimmten präpositionalen Gruppen *(to begin with, for a start)*. Enumerative Sequenzformen bilden eine *auflistende Textstrukturierung* aus:

(23) *Lane discipline*
*76.* After entering the left-hand traffic lane of a motorway, stay in it long enough to accustom yourself to the speed of vehicles in that lane before attempting to move out into a faster right-hand lane to overtake.
*77. Keep within the carriageway lane markings* and cross them only when changing from one lane to another. Before changing lanes be sure that it is safe to do so, particularly at high speeds. *Do not wander from lane to lane.*
*78.* On a two-lane carriageway, keep to the left-hand lane except when overtaking.
*(The Highway Code, including motorway rules.* London: HMSO, pp. 16 f.)

Die zitierten Textausschnitte (19–23) sind jeweils konkrete, einzelsprachliche Ausformungen dessen, was wir *Texttypen* nennen. Insgesamt haben wir 5 Texttypen belegen können: *Deskription* (20), *Narration* (19), *Exposition* (21), *Argumentation* (22) und *Instruktion* (23).[37]

## 3.5 Texttyp und Situation

Nachdem wir einen ersten Einblick gewonnen haben in *Textkohärenzen,* vermittels deren Sprecher Texte aus thematischen Textbasen entfalten, und dabei deutlich geworden ist, daß bestimmte Sequenzbildungen als Textkonstituenten in bestimmten Textmengen dominant vorkommen, können wir uns wieder einer allgemeineren textlinguistischen Frage zuwenden, der Frage nämlich, was ein *Texttyp* eigentlich sei, insbesondere, welche Bedeutung ihm in der sprachlichen Kommunikation zukomme.[38]

Ein Blick auf die dominanten Sequenzformen, mit denen kohärente und komplettierte textliche Äußerungen gebildet werden, lehrt, daß Texte offenbar in bestimmter Weise mit situativen Faktoren des Wirklichkeitsmodells der Sprecher korrelieren. Sie isolieren und repräsentieren spezifische situative Faktoren durch bestimmte sprachliche Rekurrenzen: in *temporalen* Sequenzen, *lokalen* Sequenzen, *explikatorischen* (und *additiven*) Sequenzen, *kontrastiven Sequenzen* und *enumerativen* Sequenzen. Wir können auch sagen: der Sprecher repräsentiert Gegenstände und Sachverhalte textlich stets so, daß bestimmte Wirkungen erzielt und bestimmte kommunikative Erfordernisse bevorzugt bzw. ausschließlich erfüllt werden.

In der Kommunikation über Gegenstände und Sachverhalte des Kontextes, so haben wir gesehen, lenkt der Sprecher den Blick entweder dominant auf ihre Position im *Zeitkontinuum* (durch Narration) oder im *Raum* (durch Deskription). In der Kommunikation über begriffliche Vorstellungen der Sprecher *(Konzepte),* die auf Grund von Wahrnehmungen in Raum und Zeit gebildet wurden, lenkt der Sprecher den Blick entweder auf ihre *Zusammensetzung* aus Elementen (durch Analyse und/oder Synthese in Exposition) oder auf die *Relationen* zwischen ihnen (durch Argumentation). In der Kommunikation über das zukünftige *Verhalten* des Sprechers oder Hörers schließlich lenkt der Sprecher den Blick auf eine quantifizierbare Reihe von Elementen des gedachten/erwarteten Verhaltenskomplexes der Sprecher (durch Instruktion). Durch eine Mischung dieser dominanten Blickrichtungen des Sprechers können darüber hinaus alle erwähnten Faktoren auch in einem einzigen *texttypisch gemischten Text* repräsentiert werden.

Aus dieser Perspektive betrachtet, sind Texttypen *idealtypische Normen* für Textstrukturierung, die dem Sprecher als vorgegebene Matrices textkonstituierender Elemente in seiner sprachlichen Reaktion auf spezifische Aspekte seiner Erfahrung dienen. Jede mögliche textliche Äußerung unterliegt somit distinkten texttypischen Überformungen, mit denen der Sprecher jeweils nur ganz bestimmte Aspekte dominant in die Kommunikation hereinzuholen vermag.[39] Wenn für Texte eine *Tiefenstruktur* angenommen werden soll, dann muß sie über eine endliche Zahl solcher texttypischen Textbasen zu gewinnen sein, die es Sprechern ermöglichen, eine potentiell unendliche Menge von Texten zu erzeugen.

## 3.6 Texttyp und Denken

Worin ist die texttypisch determinierte Versprachlichung von Gegenständen und Sachverhalten in der sprachlichen Kommunikation begründet? Man könnte von der Hypothese ausgehen, daß Texttypen erst durch die metasprachliche Abstraktion des Sprechers/Forschers von spezifischen Merkmalen sprachlicher Kommunikationsformen – etwa von Textformvarianten wie *Nachricht, Unfallbericht, Gerichtsurteil* – etabliert werden, die als distinkte Konventionen für textliche Kommunikation einzelsprachlich ausgebildet sind. Eine *technische Beschreibung* etwa, die objektiven Maßstäben der Verifizierbarkeit genügt, könnte als eine von vielen Textformen angeführt werden, die nachweislich erst mit Beginn des wissenschaftlich-technischen Zeitalters zum Zwecke intersubjektiv nachprüfbarer Information über Erscheinungen im Raum erforderlich wurden.

Man könnte jedoch andererseits auch daran denken, daß Texttypen primär nicht durch Einflüsse von außen, sondern durch biologische Anlagen bedingt sein könnten, durch die sowohl die *Form* als auch die *Reichweite* des menschlichen Erkenntnisvermögens und Symbolisierungsvermögens vermittels sprachlicher Zeichen festgelegt ist. Das wird etwa durch den Gedanken an die Rolle nahegelegt, die die

Wahrnehmungsformen von Raum und Zeit so offensichtlich in der Textstrukturierung von *Deskription* und *Narration* spielen. Überprüft man, inwieweit auch die übrigen Texttypen etwa durch Formen des menschlichen Erkenntnisvermögens geprägt sein könnten, so scheint einiges für die generelle Hypothese zu sprechen, daß Texttypen nicht nur in der oben erläuterten Weise mit den versprachlichten Gegenständen und Sachverhalten der Außenwelt korrelieren (vgl. Kap. 3.5), sondern auch mit angeborenen Kategorisierungsprozessen der menschlichen Erkenntnis bzw. des menschlichen Denkens.[40]

Wir entscheiden uns – was Text*typen* angeht – für die letztgenannte Hypothese. Ähnlich wie *Deskription* und *Narration* die Differenzierung und Verknüpfung von Wahrnehmungen in Raum und Zeit in textlicher Form widerspiegeln, so hängt *Exposition* offensichtlich mit grundlegenden Prozessen menschlichen Verstehens von und mit Hilfe von Begriffen/Konzepten zusammen: und zwar damit, daß allgemeine Begriffe stets durch Differenzierung vermittels einer kategorialen Analyse verstanden werden *(A* sonnet *is a fourteen-line poem with conventional demands as to its structure and rhyme scheme)* und partikuläre Konzepte durch Differenzierung vermittels subsumierender Synthese *(Metre, rhythm and rhyme are frequent elements of what we call a* poem). *Argumentation* korreliert deutlich mit menschlichem *Urteilen,* d. h. dem Feststellen von Relationen zwischen Sachen und/oder Konzepten vermittels des Hinweises auf Ähnlichkeiten, Gegensätze und Umformungen (»But the truth is that a work-to-rule is a confidence trick. It is NOT a work to rule. It IS a go slow«; Kommentar im *Daily Express,* 5. April 1971). Auch für *Instruktion* gilt eine spezifische Korrelation mit menschlichem Denken: mit jener Seite, die unter willensorientiertes und/oder zukunftsgerichtetes *Planen* zu fassen ist *(sprechergerichtet:* »We'd like to buy your brains«; *hörergerichtet*: »To find out more, write to Martin Carlisle with details of your age, educational qualifications and extra-curricular activities«; vgl. unten Text [35]).

Aus der vorgetragenen Sicht erscheinen die texttypischen Sequenzen als einzelsprachliche Ausformungen textlicher Äußerungen, die widerspiegeln, wie Begriffe von Gegenständen und Sachverhalten mit Hilfe bestimmter Operationen intellektueller Welterschließung als *Denkinhalte* über die sinnliche Wahrnehmung in Raum und Zeit gewonnen werden, und – in einem Übergang von einfacheren zu komplexeren Strukturen – durch Analyse, Synthese und wertende Interrelation eingeordnet und für zukünftiges Handeln gespeichert werden. In graphischer Darstellung stellen sich die erläuterten Beziehungen etwa wie folgt dar: im Zentrum des Kreisdiagramms ist der *Sprecher* mit Vorstellungen unterschiedlich komplexer Struktur lokalisiert (1), an der Peripherie die textexterne Außenwelt mit dem *Adressaten* und *Objekten* (Gegenständen und Sachverhalten; [3]). Zwischen Sprecher und Außenwelt treten die *texttypischen Mittel und Strukturen der Versprachlichung* von Aspekten seines Wirklichkeitsmodells (2):

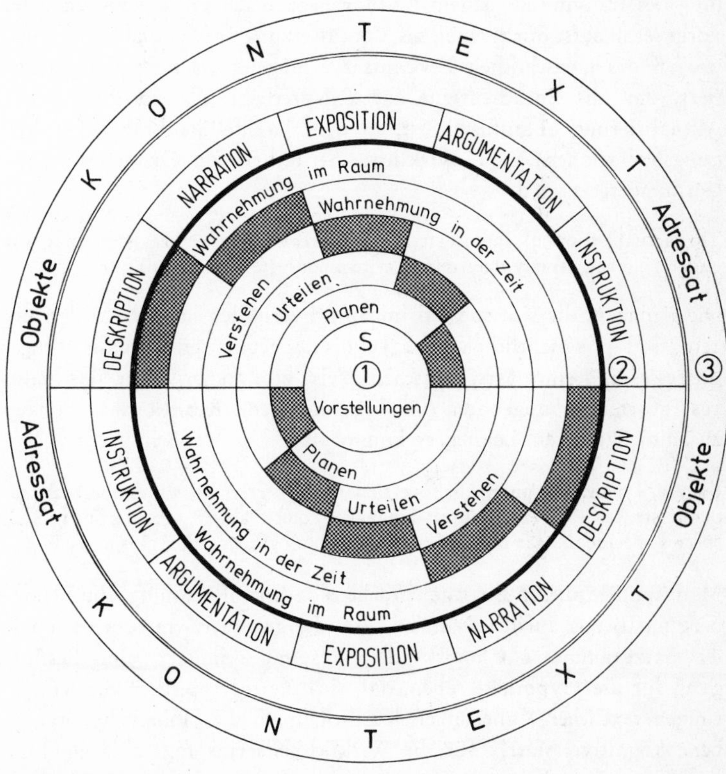


*Fig. 2*

Die vorgetragene Sicht steht in Einklang mit Forschungsergebnissen über die biologischen Grundlagen von Sprache. E. H. Lenneberg (1967) kommt in einer umfangreichen Studie zu dem bedeutsamen Schluß, daß das menschliche Erkenntnisvermögen *(cognition)* sich darstellt als

behavioral manifestation of physiological processes. Form and function are not arbitrarily superimposed upon the embryo from the outside but gradually develop through a process of differentiation. *The basic plan is based on information contained in the developing tissues.* (373; meine Hervorhebung)

Wie andere Formen des Verhaltens unterliegt auch die Sprachentwicklung des Individuums einem Reifungsprozeß der Differenzierung, der vorgezeichnet ist durch einen als Voraussetzung notwendigen Reifungsprozeß des menschlichen Erkenntnisvermögens. Lenneberg argumentiert, daß die Sprachentwicklung entsprechend als ein Prozeß der Aktualisierung aufzufassen ist, in dem latente Struktur (für Ordnungsoperationen) in verwirklichte Struktur (von Ordnungsleistungen) umgesetzt wird:

The actualization of latent structure to realized structure is to give the underlying cognitively determined type a concrete form. (376)

Die Anlagen, die sich speziell im Sprachverhalten/handeln widerspiegeln, sind im wesentlichen das Ergebnis des genannten Aktualisierungsprozesses und einer artspezifischen Weise zu kategorisieren, das heißt, aus Informationsangeboten (›Wahrnehmungen‹) Reaktionshandlungen zusammenzusetzen. Lenneberg kommt daher zu dem Schluß, daß

there are many reasons to believe that the *processes* by which the realized, outer structure of a natural language comes about are deeply-rooted, species-specific, innate properties of man's biological nature. (394)

Man kann in dieser Aussage sprachbiologischer Forschung, die Lenneberg mit Bezug auf die Syntaxtheorie der generativ-transformationellen Satzgrammatik Chomskyscher Prägung erläutert, eine Bestätigung für die Hypothese sehen, daß sich die texttypischen Strukturierungen textlicher Äußerungen letztlich durch die biologisch vorgegebene kognitive Matrix für die Wirklichkeitserfassung erklären. Eine derartige Hypothese scheint uns nicht von vornherein unplausibel.

Wir dürfen also hier und jetzt feststellen: In den dominanten sprachlichen Strukturen der fünf Texttypen manifestieren sich artspezifische kognitive Prozesse, die durch Aktionen von Sprechern in Richtung auf die Umwelt und Reaktionen auf spezifische Umweltaspekte ausgelöst und entwickelt werden.[41]

# 4. Textformen

Wenn *Texttypen,* wie wir sahen, als idealtypische Normen für Textstrukturierung angenommen werden, die der erwachsene Sprecher als kognitiv determinierte Matrices textformender Elemente in der sprachlichen Kommunikation über Gegenstände und Sachverhalte generell verfügbar hat, dann kann man weiter fragen, in welchen Formen sich etwa die texttypische lokale, temporale oder kontrastive Strukturierung konkret manifestiert. Sind das bereits die vielfältig aktualisierten *Textexemplare* (Vertextungsprodukte, Textvorkommen), die dann jeweils als deskriptive, narrative usw. zu klassifizieren wären?

Dieser zunächst einleuchtenden Annahme steht die Kenntnis entgegen, die der erwachsene Sprecher bereits von einer Vielzahl konventioneller textlicher Kommunikationsformen hat und deren Zahl die der Texttypen bei weitem übersteigt. Der Sprecher kennt, um nur einige Formen zu nennen, einzelne Texte als Beispiele für *Berichte, Protokolle, Kommentare, Witze, Nachrichten, Anekdoten* und liest *Kurzgeschichten* und *Romane.* Es ist darum zu erwarten, daß sich Texttypen – mit all jenen Modifikationen, die einzelsprachliche Realisation und sprachgemeinschaftliche Konvention zusätzlich einbringen – zunächst auf einer ranghöheren Ebene als der der Textexemplare konkretisieren. Es ist dies die Ebene von *Textformen* (ein Begriff, der sich in der vorliegenden Untersuchung nur zum Teil mit dem verbreiteten Begriff *Textsorte* deckt).[42] Textformen sind als Aktualisierungen von Gruppen von Textkonstituenten zu verstehen, die Sprecher einerseits in Übereinstimmung mit texttypischen Invarianten und andererseits gemäß bestimmter historisch ausgebildeter Konventionen für textliche Äußerungen in der Textproduktion auswählen.[43]

Der konkrete Text, den ein Sprecher in einer Kommunikationssituation produziert, ist also stets durch texttypische Konstituenten und textformspezifische Konstituenten gekennzeichnet. Graphisch läßt sich dieses hierarchische Fundierungsverhältnis von *Textexemplaren* etwa wie folgt darstellen; *Text* repräsentiert die allgemeinste Schicht der Textkonstitution (vgl. dazu im einzelnen unten Kap. 5):

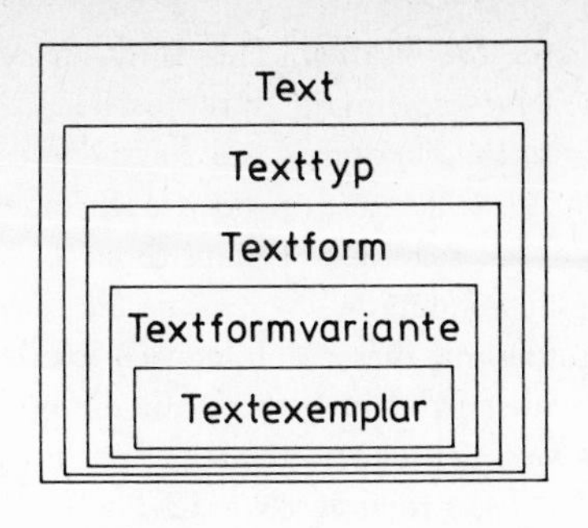


*Fig. 3*

Da wir die texttypische Strukturierung bereits genauer analysiert haben (Kap. 3), kann unser besonderes Augenmerk jetzt den *textformspezifischen Konstituenten* gelten. Wir gehen von folgendem Text aus:

(24) ... everybody, I suppose, remembers the sense of shock he felt at the first bombed house he saw. I think of one in Woburn Square neatly sliced in half. With its sideways exposure it looked like a Swiss chalet: there were a pair of skiing sticks hanging in the attic, and in another room a grand piano cocked one leg over the abyss. In the bath-room the geyser looked odd and twisted seen from the wrong side, and the kitchen impossibly crowded with furniture until one realized one had been given a kind of mouse-eye view from behind the stove and the dresser – all the space where people used to move about with toast and tea-pots was out of sight. But after quite a short time one ceased to look twice at the intimate exposure of interior furnishings.
(Graham Greene, »At Home«, in: *Collected Essays*, Harmondsworth 1970, p. 333)

Die *texttypische Strukturierung* ist deutlich an der Wahrnehmung des Sprechers im Raum orientiert. Der *implizite lokale Initiator* »bombed house« des Eröffnungssatzes wird im nachfolgenden Text durch *implizite* und *explizite lokale Sequenzsignale* im Detail entfaltet: *sideways exposure, in the attic, in another room, over the abyss, in the bathroom* und *the kitchen.* Der Blick des Sprechers ist also anfangs auf die Gesamterscheinung (ihre Position) im Raum gerichtet *(bombed house, sideways exposure)* und folgt dann einer dominanten Beschreibungs*richtung* im Raum von oben nach unten *(in the attic → the kitchen),* in der er sich den Teilansichten bzw. Elementen der Gesamterscheinung zuwendet.

In Übereinstimmung mit dieser dominanten lokalen Textstrukturierung können die beiden Eröffnungssätze auf die obligatorischen Konstituenten eines *phänomenregistrierenden Satzes* (mit Inversion) in der *deskriptiven Textbasis* reduziert werden:

> *In Woburn Square (there) was a bombed house.*
> $A(ADV_{loc}) + P(V_{be} + Past) + S(NG)$

Der ›Gegenstand‹ *a bombed house* wird durch die Verbform von *be* an dem satzeröffnend genannten Ort als in der Vergangenheit existent hingestellt. Durch einen Vergleich dieser abstrahierenden *deskriptiven Textbasis* mit den beiden konkreten Eröffnungssätzen Greenes sind erste Einsichten in *textformspezifische Konstituenten* zu gewinnen.

## 4.1 Sprecherperspektive (point of view)

Greenes Eröffnungssätze enthalten eine Reihe von Konstituenten, die alle den Ausgangspunkt des Blickwinkels anzeigen und eingrenzen, von dem aus der Sprecher in der Kommunikationssituation spricht und auf den er zugleich alle im Text bezeichneten Gegenstände, Veränderungen und Sachverhalte bezieht. Textkonstituenten, die diese Funktion erfüllen, thematisieren verschiedene Aspekte der *Sprecherperspektive.*

### *4.1.1 Person*

Der vielleicht deutlichste Teilaspekt der Sprecherperspektive im vorliegenden Text ist in den Sätzen »*I* suppose...« und »*I* think of one in...« enthalten. Der Sprecher thematisiert in der Füllung der *Subjektstelle* der Sätze die grammatische *Person* – hier sich selbst in der personal besetzten *Sprecherrolle* der 1. Person Singular. Auf diese Person werden alle Gegenstände, Veränderungen und Sachverhalte in der textlichen Äußerung bezogen.

Wenn der Textproduzent die Personalpronomina *I/we, you* und *he/she* bzw. ihre nominalen Initiatoren (etwa *Graham Greene* oder *the writer/the author)* thematisiert, dann spricht er aus der *definiten personalen Sprecherperspektive,* die normalerweise mit Bezug auf menschliche oder, allgemeiner, belebte Wesen gewählt wird. In Ergänzung dieser definiten personalen Perspektive steht dem Sprecher auch eine *nicht-definite personale Sprecherperspektive* mit dem Pronomen *one* zur Verfügung. Greene wählt diese unbestimmte personale Perspektive im letzten Satz: »But after quite a short time *one* ceased to look twice ...«. Thematisiert der Sprecher andererseits das Personalpronomen der 3. Person Singular *it* bzw. seinen nominalen Initiator (wie »the first bombed house« im Text), dann spricht er aus der *nicht-personalen Sprecherperspektive* nicht-menschlicher oder unbelebter Wesen. Das Pluralpronomen der 3. Person *they* ist nicht markiert mit Bezug auf die Unterscheidung zwischen einer personalen und einer nicht-personalen Perspektive.

Für den vorliegenden Text sind beide Personperspektiven kennzeichnend. Wenn es zum Beispiel im dritten Satz des Textes heißt: »in another room *a grand piano* cocked one leg over the abyss«, dann liegt hier zwar grammatisch eine nicht-personale Perspektive vor, nämlich die des Personalpronomens *it.* Zugleich aber wirkt auch die mit »I think of ...« gesetzte personale Perspektive noch weiter, nämlich darin, wie dieser individuelle Sprecher den Flügel an der beschriebenen Stelle des zerstörten Hauses sprachlich als existent repräsentiert: »cocked one leg« und »over the abyss« enthalten in der Wortbedeutungswahl eine stark subjektiv selektive *Sprechereinstellung* gegenüber der Befindlichkeit des Flügels. Der subjektive Vergleich der Position des Musikinstruments mit der Leichtigkeit und dem vorwitzigen Übermut einer tanzenden Muse dominiert.

### *4.1.2 Präsentation*

Wir erkennen in der Art, wie der Sprecher vermittels seiner Wortbedeutungswahl die Befindlichkeit des Flügels darstellt, einen zweiten bedeutenden Aspekt der *Sprecherperspektive.* Es ist die vom Sprecher gewählte sprachliche Darstellungsart oder *Präsentation.* Präsentation nennen wir jenen Aspekt der Sprecherperspektive, der im Text die selektive Sprechereinstellung zu Situationsfaktoren signalisiert.

Ist die Sprechereinstellung selektiv mit Bezug auf ihn selbst als *Sprecher* in der Kommunikationssituation, entscheidet er also, ob er den Bezug/Verweis auf sich selbst herstellen oder vermeiden soll, dann kann zwischen einer *subjektiven* (eigentlich: subjektivierenden) und einer *objektiven* (eigentlich: objektivierenden) *Präsentation* in Textformen unterschieden werden.

In *subjektiver Präsentation* bezieht der Sprecher Gegenstände und Sachverhalte *auch* auf seine persönliche Erfahrung von Raum, Zeit, Personen, Zahlen, Beziehungen, Eigenschaften usw. (vgl. Text [24]): »... everybody, *I suppose*, remembers the sense of shock he felt at the first bombed house he saw«).[44] In *objektiver Präsentation* bezieht der Sprecher Gegenstände und Sachverhalte der Intention nach *ganz* auf einen exakt verifizierbaren situativen Bezugsrahmen außerhalb seiner selbst: auf den der öffentlichen Zeitrechnung/messung, geographischer Räume, von Personen (Namen, Geburtsdaten, Anschriften), Zahlen, Beziehungen, Eigenschaften usw.[45]

Auf Grund der Wahl des Sprechers zwischen subjektiver und objektiver Präsentation kann man zu einer konventionell ausgebildeten Unterscheidung zwischen *subjektiven Textformen* und *objektiven Textformen* kommen. Alle konkreten Textformen lassen sich dann als subjektive Textformen, objektive Textformen oder *Mischformen* einordnen. Der Texttyp *Deskription* manifestiert sich zum Beispiel in der subjektiven Textform einer *Schilderung* (impressionistischen Beschreibung) oder der objektiven einer *technischen Beschreibung*. Der Texttyp *Narration* manifestiert sich entweder als *Geschichte/Erzählung* oder als *Bericht*.

Präsentation als Aspekt der Sprecherperspektive erlaubt es, auf die Dimension der *Sprecherentscheidung* für bestimmte Textbildungen zurückzugreifen. Man kann dann in Narration und Deskription weiter zwischen *raffender* und *szenischer Präsentation* unterscheiden.[46] Der Sprecher ist hier in seiner Sprachhandlung selektiv mit Bezug auf die *Gegebenheit situativer Faktoren:* er hat die Wahl zwischen einer stark raffenden Darstellung, in der er die Zahl seiner Bezüge auf die thematisch relevanten Faktoren reduziert, oder einer das situative Detail hervortreten lassenden szenischen Darstellung, in der er die Zahl der Bezüge auf die thematisch relevante Zahl situativer Faktoren erhöht. In narrativen Texten wird raffende Darstellung durch temporale Sequenzformen signalisiert, die große Zeitsegmente aus dem Kontinuum der Zeit herausgreifen *(in the nineteenth century, that year, one day)*, szenische Darstellung durch temporale Sequenzformen, die kurze Zeitsegmente denotieren *(at that moment, suddenly, then* und finite Verbformen im Imperfekt).

Welche temporalen Sequenzformen jeweils als die stärker raffenden zu gelten haben, wird auch durch den Kotext der Sequenzformen bestimmt. In dem einen Text mag der Übergang zur Dimension eines Tages bereits eine starke Raffung bedeuten, in einem anderen dagegen eine Überleitung zu szenischer Präsentation signalisieren. Letzteres gilt beispielsweise in den folgenden Textstücken aus dem 10. Kapitel in George Orwells *Animal Farm.* Das Kapitel eröffnet mit raffender Präsentation:

(25) *Years passed. The seasons came and went,* the short animal lives fled by. A time came when there was no one who remembered the old days before the Rebellion, except Clover, Benjamin, Moses the raven, and a number of the pigs. Muriel was dead; Bluebell, Jessie, and Pincher were dead. Jones too was dead ...
(Harmondsworth 1951, p. 108)

Vier Seiten später folgen temporale Sequenzsignale, die im vorliegenden Kotext den Übergang zu szenischer Präsentation signalisieren:

(26) *One day in early summer* Squealer ordered the sheep to follow him, and led them out to a piece of waste ground at the other end of the farm, which had become overgrown with birch saplings. The sheep spent the whole day there browsing at the leaves under Squealer's supervision. *In the evening* he returned to the farmhouse himself, but, as it was warm weather, told the sheep to stay where they were. [...] *It was just after the sheep had returned, on a pleasant evening when the animals had finished work and were making their way back to the farm buildings,* that the terrified neighing of a horse sounded from the yard. Startled, the animals *stopped* in their tracks. It *was* Clover's voice. She *neighed* again, and all the animals *broke* into a gallop and *rushed* into the yard ...
(A. a. O., pp. 112 f.)

Die Präsentationsweise als Aspekt der Sprecherperspektive kann darüber hinaus drittens auch eine Entscheidung des Sprechers erfordern, die sich auf vorherige eigene oder fremde *sprachliche Äußerungen* bezieht. Der Sprecher kann wählen zwischen einer wortwörtlichen Wiedergabe der Äußerungen (in *direkter Rede*) oder einer auswählenden zusammenfassenden Wiedergabe (in *indirekter Rede*). Die als Übergangssignale notwendigen metakommunikativen *said*-Sätze, die die Kommunikationssituation thematisieren, werden entsprechend entweder von einer Kommunikationssituation zweiten Grades gefolgt (in *direkter Rede*) oder aber von einer Kommunikationssituation ersten Grades, in die berichtete sprachliche Äußerungen durch *that*-Nebensätze integriert werden.[47] Auch dieser Aspekt der Präsentation ist von besonderer Relevanz in narrativen Texten.

### *4.1.3 Fokus*

Einen dritten Aspekt der *Sprecherperspektive* wollen wir mit einem Begriff aus der Photographie benennen: *Fokus*. Wir erfassen mit diesem Begriff jenen Aspekt in Texten, der die wechselnde zeit-räumliche Weite des Blickwinkels sprachlich repräsentiert, den der Sprecher mit Bezug auf Gegenstände und Sachverhalte in seiner zeit-räumlichen Nähe wählt. Öffnet sich der Blickwinkel, indem die lokalen und temporalen Sequenzformen stufenweise umfassender (globaler) werden, so sprechen wir von einem *sich öffnenden Fokus*. Schließt sich der Blickwinkel durch zunehmend weniger umfassende (d. i. pointierte) lokale und temporale Sequenzformen, so sprechen wir von einem *sich schließenden Fokus*. Die *Fokuseinstellung* wird zugleich mit signalisiert durch eine kotextuell einschätzbare steigende oder abnehmende Zahl von sprachlichen Bezügen auf Personen, Gegenstände und Veränderungen. Ein Beispiel für den sich schließenden Fokus bietet Text (19) (vgl. »It happened during one of the great storms of the nineteenth century ...«), für den sich öffnenden Fokus Text (20) (vgl. »I write these notes each morning at breakfast on the large back terrace of the Residence ...«). Wie die Beispiele illustrieren, lenkt die Fokuseinstellung den Sprecher entscheidend in der Wahl seiner Sequenzformen in der lokalen und temporalen Textstrukturierung.

*Person, Präsentation* und *Fokus,* die – wie wir gesehen haben – in Texten durch die Rekurrenz unabhängiger Lexeme als Aspekte der *Sprecherperspektive* angezeigt werden, sind noch durch vier weitere Teilaspekte der Sprecherperspektive zu ergänzen, die in Verbindung mit den in Texten gewählten Verbformen realisiert werden. Es sind dies *Tempus, Aspekt, Genus* und *Modus.*

### *4.1.4 Tempus*

Die Wahl eines *Tempus* des Verbs signalisiert, wie der Sprecher Gegenstände und Sachverhalte in bezug auf eine Orientierungsachse betrachtet, die durch seinen augenblicklichen, also jeweils gegenwärtigen *Sprechakt* im zeitlichen Kontinuum gebildet wird:

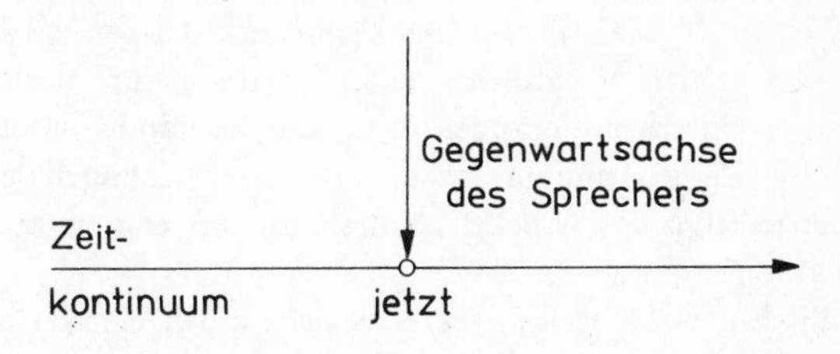


*Fig. 4*

In ihren Hauptfunktionen unterscheiden sich Tempora dadurch, wie und ob sie einen Bezug auf zeitliche Orientierungsachsen herstellen. Im Rahmen der weitgehend konventionalisierten Tempuserwartungen in bestimmten Textformen hat der Sprecher grundsätzlich die Wahl, Gegenstände und Sachverhalte in bezug auf die *Gegenwartsachse* oder die *Vergangenheitsachse* oder aber unabhängig von diesen beiden Zeitachsen zu sehen. Dazu stehen dem Sprecher zwei *Tempusgruppen* zur Verfügung: die *Gegenwartsgruppe,* die sich mit *Perfekt, Futur I* und *Futur II* um das *Präsens* gruppiert; und die *Vergangenheitsgruppe,* die sich mit *Plusquamperfekt, Konditional I* und *Kontitional II* um das *Imperfekt* gruppiert.[48] Die Möglichkeit, das Präsens auch *zeitlos,* d. h. ohne Bezug auf die Gegenwartsachse zu verwenden *(The planets circle round the Sun),* erweitert die Wahlmöglichkeiten des Sprechers beträchtlich.

In den meisten Textformen gilt die Wahl einer der Tempusgruppen zugleich als ein *Textformmerkmal*. Geschriebene narrative Textformen, das ist seit langem bekannt, sind durch die Tempora der Vergangenheitsgruppe markiert, die Textformen der übrigen Texttypen im allgemeinen durch die Tempora der Gegenwartsgruppe. Wir haben dieser weitgehend konventionalisierten Distribution von Tempusgruppen in Textformen bereits in anderem Zusammenhang dadurch Rechnung getragen, daß wir in die thematische Textbasis für Narration eine Verbform im Imperfekt aufgenommen haben, für Exposition und Argumentation eine Verbform im Präsens und für Deskription eine Verbform, die im Präsens oder Imperfekt stehen kann.

### *4.1.5 Aspekt*

Die Wahl eines *Aspekts*, ein fünfter Teilbereich der *Sprecherperspektive*, der sich in den Verbformen eines Textes manifestiert, signalisiert, wie der Sprecher Veränderungen und Zustände in bezug auf Segmente im Zeitkontinuum sieht bzw. gesehen haben will. Die Sprecherperspektive des Aspekts ist deshalb stets eng verknüpft mit der Wahl von Tempora.

Im Englischen wird der *markierte Aspekt* durch eine Tempusform von *be* und eine *-ing*-Form des Verbs realisiert: *Everybody was eating and drinking*. Das den markierten Aspekt realisierende Tempus wird als *continuous tense* von dem zugeordneten nicht-markierten Tempus *(simple tense)* unterschieden *(everybody eats and drinks)*. Sofern sein Gebrauch nicht durch bestimmte grammatische Restriktionen in Texten ausgeschlossen ist, bezieht der Aspekt der *continuous tense* Veränderungen und Zustände auf Zeitsegmente, in denen sie gelten, die jedoch nach Anfang und Ende zugleich limitiert und unbestimmt sind.[49]

In deskriptiven Texten kann der Sprecher den Aspekt der *continuous tense* zum Beispiel dazu verwenden, einen unbestimmten zeitlichen Rahmen von einiger Extension zu setzen, der dann durch Verbformen einer *simple tense* mit Bezug auf bestimmte kürzere Zeitsegmente in dem gesetzten Rahmen im einzelnen gefüllt wird:

(27) ... in the Continental Room [...] Lionel Hampton *was vibrating* a beat right into the rich middle octave of a young Black

singer giving up soul for Rocky. ›We want Rocky,‹ *went* the chant. *Sock ... sock ... went* the beat ...

(Norman Mailer, *Miami and The Siege of Chicago.* Harmondsworth 1968, p. 38)

### *4.1.6 Genus*

Auch die Wahl der Handlungsart, des *Genus,* ein weiterer Teilaspekt, der die *Sprecherperspektive* in Texten anzeigt, wird durch die Verbformen eines Textes realisiert. Die Wahl der Handlungsart *Aktiv* oder *Passiv* zeigt im allgemeinen an, wie der Sprecher Veränderungen und Zustände zu Personen und Gegenständen in der Subjektstelle von Sätzen in Beziehung setzt. Der Sprecher kann wählen, ob er Veränderungen und Zustände als von den Erscheinungen als Urhebern ausgehend betrachten will (als *agentive* Teilnehmer) oder als ihnen widerfahrend (als *affizierte* Teilnehmer).

Das *Aktiv* verleiht der ersten Verhaltensrichtung Ausdruck. Das in der Subjektstelle genannte Phänomen wird als agentiv mit einer nach außen gerichteten Wirkung dargestellt *(He seized the boy).* Das *Passiv* verleiht der zweiten Blickrichtung Ausdruck: das in der Subjektstelle genannte Phänomen wird als affiziert durch eine von außen kommende Einwirkung dargestellt *(The boy was seized).*

Das *Passiv* ist die markierte Verbform des Genus. Es wird gebildet durch eine Tempusform von *be* (z. B. *was*) und das Partizip des Imperfekts (z. B. *seized*). Das *Aktiv* stellt die nicht-markierte Norm dar, von der der Sprecher in bestimmten Situationen und Textformen durch Wahl von Passivverbformen abweicht. Das Aktiv zeigt normalerweise Veränderungen an, die von *belebten* Erscheinungen ausgehen. Das Passiv zeigt solche Veränderungen an, die *unbelebten* Erscheinungen widerfahren *(All the trees were cut down).* Das Passiv wird darum vor allem dann in Textformen gewählt, wenn der Sprecher den Handlungsträger nicht benennen will oder nicht benennen kann.[50] Dies ist der Grund, warum die Sprecherperspektive des Passivs vor allem in jenen Textformen verbreitet ist, die durch *objektive Präsentation* gekennzeichnet sind *(technische Beschreibung, Bericht, wissenschaftliche Argumentation* etc.).

### *4.1.7 Modus*

Die Wahl des *Modus,* des letzten Teilaspekts, der die Sprecherperspektive in den Verbformen eines Textes anzeigt, gibt Auskunft darüber, welche Seinsweise der Sprecher Personen, Gegenständen und Sachverhalten zuweist. Als Hauptmodi, zwischen denen der Sprecher wählen kann, stellen sich die folgenden drei dar: der *faktische Modus,* der *negative Modus* und der *wahrscheinliche Modus.*

Der Sprecher spricht im *faktischen Modus,* wenn er den denotierten Gegenständen und Sachverhalten *tatsächliche* Existenz zuweist durch die Wahl *affirmativer Sätze,* deren Verbalgruppen nicht weiter modifiziert sind (etwa durch Hilfsverben oder deren Entsprechungen): *Birds eat worms.*

Wenn der Sprecher den denotierten Gegenständen und Sachverhalten durch die Wahl *verneinter Sätze* tatsächliche Existenz abspricht, bedient er sich des *negativen Modus.* Der negative Modus ist markiert durch die propositionale Partikel *not* bzw. ihre Entsprechungen (negierende Präfixe in Adjektiven wie *un-, dis-;* Adverbien wie *never, no longer*): *Dogs don't eat worms.*

Der *wahrscheinliche Modus* wird durch bejahte oder verneinte Sätze angezeigt, die durch die modalen Hilfsverben *can, could, may, might* modifiziert sind oder durch deren Stellvertreter (wie *probably, possible, a possibility*). Durch den Modus der Wahrscheinlichkeit weist der Sprecher Gegenständen und Sachverhalten *mögliche* Existenz zu: *Some people may eat worms.*

Die vorgetragene Analyse dessen, was wir umfassend die *Sprecherperspektive* in Texten nannten, hat mit den Teilaspekten *Person, Präsentation, Fokus, Tempus, Aspekt, Genus* und *Modus* gezeigt, aus welchen Hauptbereichen Sprecher Schichten von *textformspezifischen Konstituenten* in Texten auswählen, die gleichzeitig durch *texttypische Grundstrukturen* markiert sind. Eine ganz anders geartete Schicht textformspezifischer Konstituenten in Texten wird darüber hinaus dadurch etabliert, daß Sprecher sich in bestimmten *Sprachvarianten (varieties)* ihres muttersprachlichen Kodes oder eines erworbenen fremdsprachlichen Kodes ausdrücken und diese Varianten in jeweils spezifischer Mischung bevorzugt in bestimmten Textformen verwenden. Auch dieser Bereich der Konstitution von Textformen umfaßt mehrere Teilaspekte.

## 4.2 Sprachvarianten

Als *Sprachvarianten* bezeichnen wir jene Subkodes einer natürlichen Sprache, die durch bestimmte kotextuelle oder kontextuelle Merkmale näher gekennzeichnet sind.[51] Ein *Dialekt* ist zum Beispiel entweder eine *regionale Sprachvariante*, die durch die Sprachgewohnheiten einer Sprechergruppe in einer bestimmten Landschaft geprägt ist;[52] oder er ist eine *temporale Sprachvariante*, die die Sprachgewohnheiten einer bestimmten Sprechergruppe zu einer bestimmten Zeit widerspiegelt. Weitere Sprachvarianten, die in den letzten Jahren in den Mittelpunkt sprachwissenschaftlicher Untersuchungen gerückt worden sind, sind *Idiolekt, Soziolekt, Register, Stil* und – in der unten begründeten Terminologie (vgl. Kap. 4.2.3) – *Kommunikationsmedium*. Im Rahmen unserer Untersuchung der Konstitution von Textformen kommt nicht jeder dieser Sprachvarianten die gleiche Bedeutung zu. Es ist unmittelbar einsichtig, daß zum Beispiel die *individuelle Sprachvariante*, die durch den individuellen Sprachbesitz und die individuellen Sprechgewohnheiten des Sprechers zu einer bestimmten Lebenszeit geprägt ist, also der *Idiolekt*, nur auf der rangtiefsten Stufe individueller Textformproduktion relevant ist (vgl. dazu auch unten Kap. 4.4). Auf dieser Stufe würde etwa die Untersuchung der ›Sprache‹ anzusetzen haben, die ein Autor in seinen Jugenddichtungen im Gegensatz zu seinen Spätwerken in bestimmten Textformen spricht. Für unsere textformbezogene Fragestellung sind andererseits Sprachvarianten wie *Stil* und *Kommunikationsmedium* weit bedeutsamer, weil sie zu den konventionell in Textformen verwandten bzw. erwarteten Sprachvarianten gehören.

Die bedeutendste Sprachvariante allerdings, deren sich Sprecher in Textformen bedienen, ist bisher als solche weder erkannt, noch benannt oder untersucht worden. Wir führen für diese Sprachvariante den Begriff *Textidiom* ein.

### *4.2.1 Textidiom*

Den Schlüssel zur Erkenntnis jener Sprachvariante, die wir zur Unterscheidung insbesondere von *Idiolekt* und *Stil* als *Textidiom* ausgrenzen, liefert die oben entwickelte Typologie der Texte. In Kap. 3.3 haben wir gezeigt, in welcher Weise die geordnete Textentfaltung von texttypischen *thematischen Textbasen* abhängt. Jede dieser Textbasen, so zeigten wir, kann auf der Ebene des *einfachen Satzes* durch Sätze repräsentiert werden, die sich sowohl ihrer strukturellen Funktion als auch ihrer Leistung nach klassifizieren ließen. In der Zuordnung zu den fünf Texttypen waren dies die folgenden sechs *Satztypen:*

*Deskription:* *der phänomenregistrierende Satz*
$S(NG) + P(V_{be/non\text{-}change} + \mathit{Past/Present}) + A(ADV_{loc})$

*Narration:* *der handlungsaufzeichnende Satz*
$S(NG) + P(V_{change} + \mathit{Past}) + A(ADV_{loc}) + A(ADV_{temp})$

*Exposition:* *der phänomenidentifizierende Satz*
$S(NG) + P(V_{be} + \mathit{Present}) + C(NG)$
und
*der phänomenverknüpfende Satz*
$S(NG) + P(V_{have} + \mathit{Present}) + C(NG)$

*Argumentation:* *der qualitätattribuierende Satz*
$S(NG) + P(V_{be} + \mathit{Not} + \mathit{Present}) + C(ADJ)$

*Instruktion:* *der handlungsfordernde Satz*
$P(V + INF)$

Um die Bedeutung dieser spezifischen *Satztypologie* für die Konstitution von Textformen zu erkennen, wollen wir von einem neuen Text ausgehen. Seiner Textform nach ist er als *Schilderung (impressionistische Beschreibung)* einzuordnen:

(28) On the afternoon of 13 January the Grand Trunk Road to Allahabad was crowded with pilgrims on their way to the Mela. They travelled on two-wheeled pony-carts with canopies, clinging to them in half-dozens, in little carriages called tongas, in motor-buses and cars and on bicycles. They also travelled on foot, plodding up the road with their faces wrapped in cloths to avoid being asphyxiated by petrol fumes and choked with the

dust that rose from the dry verges of the road. There was a file of camels, each with a man on its back seated on a wooden saddle. There was even an elephant with a painted head, chained all alone at the side of the road. It was chewing grass and swishing its decorated trunk up and down, curling it delicately so that it looked like the initial letter on a page of illuminated manuscript, but one that was constantly changing its shape.
(Eric Newby, »River of Salvation«, *The Observer*, 6. November 1966)

Thema des Textes ist der Zug indischer Pilger zu einer bedeutenden Badezeremonie *(the Mela)*, die alljährlich im Winter in Allahabad am Ganges stattfindet. Der umfassende *lokale Initiator* des Eröffnungssatzes ist »on their way to«. Die dominante Textstruktur wird durch *lokale Sequenzformen* etabliert, die Richtungen und Positionen auf der Pilgerstraße ausgrenzen (vgl. *up the road, from the dry verges of the road, at the side of the road).* In Anlehnung an die Konstituenten des einfachen phänomenregistrierenden Satzes der *deskriptiven Textbasis* kann der Text auch durch die folgende Sequenz von Sätzen vereinfacht wiedergegeben werden:

| | | | |
|---|---|---|---|
| (29) | (1) Thousands of pilgrims | *were* on the Grand Trunk Road to Allahabad. | |
| | (2) They | *were* on their way to the Mela. | |
| | (3) They | *were sitting* | on two-wheeled pony-carts with canopies. |
| | (4) They | *were clinging* | to them in half-dozens. |
| | (5) Some | *were travelling* | in little carriages called tongas. |
| | (6) Others | *were travelling* | in motor-buses and cars and on bicycles. |
| | (7) *There* | *was* a file of camels. | |
| | (8) *There* | *was* even an elephant. | |
| | (9) It | *was chewing* | grass and |
| | | *was swishing* | its decorated trunk up and down. |

Auf der Satzebene setzt sich diese edierte Fassung der *Schilderung* (28) aus einer nicht variierten Sequenz von *phänomenregistrierenden Sätzen* (29.1, 29.2) und den bedeutendsten Äquivalenten dieses Satztyps zusammen: *There is/was*-Sätzen (29.7, 29.8) und *handlungsaufzeichnenden Sätzen* im Aspekt der *continuous tense form* (29.3 bis 29.6, 29.9); letztere führen Veränderungen in einem ausgedehnten, aber nach Anfang und Ende nicht markierten Zeitintervall vor und zeigen daher keine Sukzession in der Zeit an. Die aufgezeichnete Sequenz von phänomenregistrierenden Sätzen und deren Äquivalenten stellt jene textliche Sprachvariante dar, die wir *Textidiom* nennen: im vorliegenden Fall das *deskriptive Textidiom.*

Ein *Textidiom* ist also durch *Satzstrukturen* in Sequenz gekennzeichnet, deren Konstituenten für einen der fünf Texttypen charakteristisch sind. Wir unterscheiden entsprechend zwischen einem *deskriptiven, narrativen, expositorischen, argumentativen* und *instruktiven Textidiom.* Es ist festzuhalten, daß Textidiome Sprachvarianten auf der Ebene von Texttypen darstellen. Sie sind jeweils durch *strukturelle Mehrsatzmuster* definiert, die einzelsprachlichen *syntaktischen* Bedingungen unterliegen und textformspezifisch in bestimmter Weise mit *lexikalischen* Einheiten gefüllt und von Sprechern individuell realisiert werden.

Auf der idealtypischen Ebene des deskriptiven Texttyps müßte Text (29) durch eine Sequenz wiedergegeben werden, deren Konstituenten durch Strukturformeln für englische Sätze repräsentiert werden und deren lokale Sequenzformen durch unterscheidende Superskripte als *Initiator, Sequenzsignal* und *Terminator* markiert werden:

$$S(NG) + P(V_{be}) + A\ (ADV\ ^{init}_{loc}\ )$$
$$S(NG) + P(V_{be}) + A\ (ADV\ ^{sequ}_{loc}\ )$$
$$S(NG) + P(V_{be}) + A\ (ADV\ ^{sequ}_{loc}\ )$$
$$S(NG) + P(V_{change} + BE + ING) + A(ADV\ ^{sequ}_{loc}\ )$$
$$\ldots$$
$$S(NG) + P(V_{be}) + A\ (ADV\ ^{term}_{loc}\ )$$

Wir wollen in dem hier vorgezeichneten Rahmen eines Modellentwurfs für eine Texttypologie nicht weiter verfolgen, in welcher Weise die textidiomatischen Grundstrukturen der sechs genannten Satztypen im Englischen variiert und expandiert werden in den einzelnen Texttypen. Das haben wir an anderer Stelle zu zeigen versucht.[53] Uns interessiert hier zunächst, in welcher Weise die fünf Textidiome generell *lexikalisch* und *syntaktisch* gefüllt werden.

### *4.2.2 Stil*

Die lexikalische und syntaktische Füllung, durch die sich Textidiome einzelsprachlich in Textformen manifestieren, ist generell als eine Mischung von *referentiellen Sprachvarianten* zu charakterisieren, welche Haltungen und Reaktionen des Sprechers gegenüber Gegenständen, Personen und Sachverhalten in einer spezifischen Kommunikationssituation positiv oder negativ anzeigen. Sprachvarianten dieser Art bezeichnen wir global als *Stil.*

Diese Definition von Stil mag auf den ersten Blick undifferenzierter erscheinen als frühere Definitionen.[54] Wir müssen uns jedoch vergegenwärtigen, daß wir im Verlauf unserer Untersuchung bereits wesentliche Differenzierungen und Ausgliederungen vorgenommen haben, die traditionell unter den Begriff ›Stil‹ subsumierte Aspekte gesondert erfaßten: *Idiolekt* und *Textidiom* sind hier zu nennen, und auch der Oberbegriff ›Sprachvarianten‹ (*varieties*), unter den wir Stilarten einordnen, trägt seinerseits zu einer weiteren Begriffsbegrenzung von ›Stil‹ bei. Dennoch bleibt der Begriffsumfang noch immer weit genug, um sich einer leichten Definition zu entziehen.

Weitere Klarheit ist zu gewinnen, wenn wir zunächst eine Unterscheidung einführen, die das Stilvorkommen in Texten zwei großen Gruppen von Stilarten zuordnet: jener von *reinen* (auch: *ungemischten*) *Stilarten* und der von *gemischten Stilarten.* Dazu ein Beispiel:

(30) Our plane is getting through; and sure enough, presently it bumbles out of the fog from the runway. I go with our group to Gate Nine, shudder into a freezing night with a dull grey roof. The jet crawls towards us, howling and whistling with rage, perhaps at the fog or perhaps at the human bondage which keeps it just under control. (William Golding, »Body and Soul«, in: *The Hot Gates and Other Occasional Pieces.* New York 1967, p. 149)

Thematisiert ist in diesem Text die nächtliche Landung eines Passagierflugzeuges im Nebel. Die Sätze sind im *narrativen Textidiom* geschrieben (mit einer Abweichung im zu erwartenden Tempusgebrauch). Der handlungsaufzeichnende Satz »The jet crawls towards us, howling and whistling with rage« enthält jene stilistische Füllung, die unsere Einsichten in die Konstitution von Textformen auf der Ebene der *Sprachvarianten* weiter vertiefen kann. Auf Grund des referentiellen Vorwissens über Flugzeuge und Flughäfen, über das der Adressat dieses Textes verfügt, müßte an dieser Stelle eigentlich ein Satz wie der folgende erwartet werden:

(31) The jet *moves towards* us, *making a loud noise.*

Während die in (31) verwendete Sprachvariante lediglich die Gegenstände und Sachverhalte neutral benennt, ohne die Haltung oder Reaktion des Sprechers anzuzeigen, enthält (30) noch eine weitere Sprachvariante, die sehr deutlich zeigt, daß der Sprecher den nicht belebten Aktanten *jet* als einen belebten Aktanten, nämlich als ein riesiges Insekt, erlebt und sprachlich erscheinen läßt. Die in (31) verwandte Sprachvariante, die demgegenüber durch das Merkmal [-Ausdruck der Sprecherhaltung] gekennzeichnet ist, bezeichnen wir als *neutralen Stil.* Neutraler Stil ist in allen Sprachvarianten einer natürlichen Sprache als der gemeinsame lexikalisch-syntaktische Kern (gemeinsames Minimum) enthalten.[55] Er liefert die nicht-markierte *Norm* für den Sprecher, von der er durch die Wahl markierter Stilarten *abweichen* kann.[56]

Eine dieser Abweichungen sehen wir in (30). Der Sprecher führt Lexeme in den Text ein, die ihre *Referenz* in einem Gegenstandsbereich haben, der vom textinternen Gegenstandsbereich (›Flughafen bei Nacht und Nebel‹) abweicht. Der Sprecher denotiert einige Aspekte des *textintern* thematisierten Gegenstandsbereiches mit den spezifischen Lexemen eines *textexternen* Gegenstandsbereiches, dessen Kenntnis der Sprecher präsupponiert. Eine derart gekennzeichnete referentielle Sprachvariante bezeichnen wir als *metaphorischen Stil.* Seine Verwendung in einer bestimmten Situation suggeriert Vergleiche zwischen den Erscheinungen von zunächst beziehungslos gedachten Gegenstandsbereichen.[57]

Gegen den aufgezeigten Hintergrund läßt sich die eingangs vorgenommene Gruppierung der Stilarten genauer illustrieren. Als *unge-*

*mischten Stil* bezeichnen wir jene Sprachvarianten, die durch die Wahl des Sprechers von lexikalischen und syntaktischen Formen markiert sind, die nur *einer distinkten referentiellen Sprachvariante* entstammen. Beispiele sind der *neutrale Stil* und der *metaphorische Stil*; weitere Bespiele sind *formeller Stil, informeller Stil, ironischer Stil, hyperbolischer Stil, technischer Stil, abwertender Stil* etc. Als *gemischten Stil* bezeichnen wir demgegenüber eine Stilart, die durch lexikalische und syntaktische Formen markiert ist, die mehreren distinkten (d. i. individuellen, regionalen, temporalen etc.) Sprachvarianten (wie *Idiolekt, Dialekt, Soziolekt, Textidiom*) zugleich zuzuordnen sind.

Die in unserem Zusammenhang wichtigsten *gemischten Stilarten* sind die *textformspezifischen Stile* deskriptiver, narrativer, expositorischer, argumentativer und instruktiver Textformen. In Text (30), den wir als *narrativen Text* mit *subjektiver Präsentation* kennzeichnen können, ist beispielsweise zu erkennen, daß der textformspezifische (d. i. gemischte) Stil subjektiver Narration zumindest *neutralen Stil* und *metaphorischen Stil* als *ungemischte Stilarten* enthält.

Aus der allgemeinen Sicht spezifischer Textformen betrachtet, und damit kehren wir zu unserer Ausgangsfrage bezüglich der Bedeutung von Sprachvarianten für die Textkonstitution zurück, bilden also die konkreten *stilistischen Füllungen* eines bestimmten Textidioms eine weitere Schicht von Textkonstituenten, die ebenso textformspezifisch abgegrenzt werden kann wie die oben erläuterten Aspekte der *Sprecherperspektive.* Eine genauere Analyse der *gemischten Stile,* die textformspezifisch sind, kann von einem Korpus konventioneller Textformen ausgehen. Die Ergebnisse der Analyse eines solchen Korpus bilden eines der wichtigsten Kapitel einer *Textgrammatik,* die sich zum Ziel setzt, die Regelsysteme für kompetentes Verstehen und Erstellen von Texten zu erklären.

### *4.2.3 Kommunikationsmedium*

Eine letzte Schicht von textformspezifischen Konstituenten, die Sprecher den ihnen verfügbaren Sprachvarianten in der Texterstellung entnehmen, ist im Bereich *instrumentaler Sprachvarianten* anzusiedeln, die wir als *Kommunikationsmedien* bezeichnen. Wir wollen zur Erläuterung von dem folgenden Textstück ausgehen:

(32) Take marriage, for instance. It would be unlikely for you to marry somebody who was not a member of a royal family or a member of the aristocracy, wouldn't it?
There's no essential reason why I shouldn't. I'd be perfectly free to. What would make it unlikely would be accidental, not essential. Whatever your place in life, when you marry you're forming a partnership which you hope will last, say, 50 years– I certainly hope so, because, as I told you, I've been brought up in a close-knit happy family, and family life means more to me than anything else. So I'd want to marry somebody who had interests which I understood and could share.
(Kenneth Harris, »Prince Charles«, *The Observer*, 9. Juni 1974)

Auch ohne daß der Leser weiß, daß Text (32) Bestandteil eines *Interviews* ist, das Prince Charles, der englische Thronfolger, dem Journalisten Kenneth Harris gab, wird er erkennen, daß dieser Text einen *Dialog* enthält. Das zeigt ihm nicht nur das adressatengerichtete Personalpronomen der 2. Person *you* in Satz 2, sondern das signalisieren auch Satztypen wie der eröffnende *Imperativ* (»*Take* marriage, for instance«) und die den zweiten Satz beschließende *Frage* (»... wouldn't it?«), die beide auf den Hörer in der Kommunikationssituation bezogen sind. Der Leser wird zugleich erkennen, daß dieser Dialog als *mündliche Kommunikation* realisiert wurde. Das zeigen unter anderem die mit Hilfsverben gebildeten Kurzformen an (*wouldn't, there's, shouldn't, I'd* etc.) und die elliptischen Antwortsätze, die nach dem Sprecherwechsel die zweite Äußerung eröffnen (»... why I shouldn't«; »I'd be perfectly free to«).[58]

Die angeführten Beispiele für *dialogische Kommunikation* und *mündliche Kommunikation* funktionieren als linguistische Signale in Texten, die das Kommunikationsmittel bzw. die Kommunikationsmethode identifizieren, deren sich der Sprecher in einer Kommunikationssituation bedient. Insgesamt können wir die folgenden Paare einander entgegengesetzter *Kommunikationsmedien* als instrumentale Sprachvarianten unterscheiden:

(1) *monologische* vs. *dialogische Kommunikation*,
(2) *mündliche* vs. *schriftliche Kommunikation*,
(3) (nicht-sprachliche) *visuelle* vs. *sprachliche Kommunikation*.

*Monologische Kommunikation* enthält gegenüber *dialogischer Kommunikation* sprachliche (und nicht-sprachliche) Signale, die den Ausschluß anderer Kommunikanten von der *Sprecherrolle* in der Kommunikation signalisieren (Dominanz einer Kommunikationsrichtung). Das wichtigste sprachliche Signal, durch das der Sprecher monologische Kommunikation signalisiert, sind *Aussagesätze* mit normaler SP(C)(A)-Struktur in Sequenz. Der Sprecher erwartet, daß der Adressat ihm die enkodierende *Sprecherrolle* ohne Unterbrechung zugesteht und der Adressat seinerseits die dekodierende *Hörerrolle* mit den erwartbaren sprachlichen Reaktionen einnimmt und akzeptiert. *Dialogische Kommunikation* wird demgegenüber durch grammatische Transformationen der grundlegenden SP(C)(A)-Struktur signalisiert: durch *Fragesätze, Befehlssätze* und *Ausrufesätze.* Der Sprecher erwartet, daß der Adressat den Kommunikationsakt als einen mehr oder weniger geordneten Wechsel der beteiligten Kommunikationspartner von der Hörer- zur Sprecherrolle akzeptiert (Dominanz wechselnder Kommunikationsrichtung).

Je nach der Rolle, die der Kommunikant in der Kommunikationssituation einnimmt, werden die grammatischen Grundmuster des *Aussage-, Frage-, Befehls-* und *Ausrufesatzes* so abgewandelt, daß sie die Sprecherrolle oder die Empfängerrolle signalisieren. Aus der Sicht des sprecher/hörerabhängigen Kommunikationsmediums können wir also zwischen *Sendersätzen* und *Empfängersätzen* unterscheiden. Sendersätze sind im allgemeinen grammatisch vollständige Sätze (»I'd be perfectly free to *marry somebody who was not a member of a royal family*«), Empfängersätze dagegen im allgemeinen kurze, grammatisch unvollständige Sätze (»I'd be perfectly free to«). *Sender-* und *Empfängersätze* ergänzen und vervollständigen damit die Satztypologie, die oben mit der Klassifizierung von *Phänomensätzen* (vgl. die Übersicht in Kap. 4.2.1) bereits konkrete Gestalt anzunehmen begann.

Gespannte Situationen zwischen den Kommunikationspartnern entwickeln sich leicht in dialogischer Kommunikation, wenn einer der Beteiligten die Spielregeln zum Beispiel in der situativ geforderten Hörerrolle verletzt und – sei es aus Takt- oder Respektlosigkeit, Oberflächlichkeit oder aus anderen Gründen – die Sprecherrolle mit monologischen Äußerungen gegen den offenen oder versteckten Widerstand des Kommunikationspartners usurpiert. Das illustriert ein Dialog wie der folgende aus Arthur Millers *Death of a Salesman.*

Willy Loman, der sich nach 35 Jahren Außendienst als Handelsvertreter zunehmend von Erfolglosigkeit und schließlich Kündigung bedroht sieht, spricht bei seinem Juniorchef Howard vor in der Absicht, ihn um eine bescheidene Anstellung im New Yorker Büro zu bitten. Die *Rollenverteilung* nach Willys Eintritt ist damit konventionell festgelegt: in der Eröffnung des Dialogs gebührt ihm die Sprecherrolle, Howard die Hörerrolle. Tatsächlich aber wird die Rollenverteilung in für Willy völlig unerwarteter und nur zögernd akzeptierter Weise durch Howard zunächst umgekehrt (er spielt mit einem gerade als technische Neuheit erworbenen Tonbandgerät), um zum Schluß in ebenso unerwarteter Weise, nachdem Willy sich bereits resignierend in die Hörerrolle gefügt hat, wieder auf die Norm gebracht zu werden (vgl. Howards *Frage:* »Say, aren't you supposed to be in Boston?«). Jetzt erst kann das Gespräch mit dem Arbeitgeber Willys in der erwartbaren Rollenverteilung beginnen (vgl. Willys Eröffnungsfrage, die die Rollenverteilung festlegt: »You got a minute?«):

(33) Willy: It certainly is a –
Howard: Sh, for God's sake!
His Son: ›It's nine o'clock, Bulova watch time. So I have to go to sleep.‹
Willy: That really is –
Howard: Wait a minute! The next is my wife. [They wait.]
Howard's Voice: ›Go on, say something.‹ [Pause.] ›Well, you gonna talk?‹
His Wife: ›I can't think of anything.‹
Howard's Voice: ›Well, talk–it's turning.‹
His Wife: [*shyly, beaten*]: ›Hello.‹ [*Silence.*] ›Oh, Howard, I can't talk into this . . .‹
Howard: [*snapping the machine off*]: That was my wife.
Willy: That is a wonderful machine. Can we–

| | |
|---|---|
| HOWARD: | I tell you, Willy, I'm gonna take my camera, and my bandsaw, and all my hobbies, and out they go. This is the most fascinating relaxation I ever found. |
| WILLY: | I think I'll get one myself. |
| HOWARD: | Sure, they're only a hundred and a half. You can't do without it. Supposing you wanna hear Jack Benny, see? But you can't be at home at that hour. So you tell the maid to turn the radio on when Jack Benny comes on, and this automatically goes on with the radio ... |
| WILLY: | And when you come home you ... |
| HOWARD: | You can come home twelve o'clock, one o'clock, any time you like, and you get yourself a Coke and sit yourself down, throw the switch, and there's Jack Benny's programme in the middle of the night! |
| WILLY: | I'm definitely going to get one. Because lots of time I'm on the road, and I think to myself, what I must be missing on the radio! |
| HOWARD: | Don't you have a radio in the car? |
| WILLY: | Well, yeah, but who ever thinks of turning it on? |
| HOWARD: | Say, aren't you supposed to be in Boston? |
| WILLY: | That's what I want to talk to you about, Howard.<br>You got a minute? [*He draws a chair in from the wing.*] |

(Harmondsworth 1961, pp. 60 f.)

Die beiden erläuterten Kommunikationsmedien haben die Tendenz, sich bevorzugt mit dem zweiten der oben angeführten Medienpaare zu verbinden. *Mündliche Kommunikation*, die durch den Ausschluß visueller Realisation der sprachlichen Zeichen im Raum gekennzeichnet ist, ist in allen Alltagssituationen überwiegend *dialogisch*, *schriftliche Kommunikation* dagegen überwiegend *monologisch*.

Wiederum erweist sich der nahezu unerschöpfliche Variationsreichtum der Sprache – d. h. der Sprachverwendung im Rahmen sprachlicher Symbolisierung – in vielfältigen erweiternden Kombinationsmöglichkeiten. *Dialogische mündliche* Kommunikation kann beispielsweise regelmäßig längere monologische Partien einschließen. Der Einschluß monologischeer Partien ist eine der textformspezifischen Konstituenten eines *Interviews.* In Text (32) beginnt die monologische Kommunikation mit dem dritten Satz, den Prinz Charles äußert. »What would make it [i.e. marrying a commoner] unlikely would be accidental, not essential ...«

*Schriftliche* Kommunikation, die nicht monologisch, sondern *dialogisch* ist, kommt dagegen wesentlich seltener vor. Beispiele sind etwa *gedruckte Formulare (Meldezettel, Steuererklärung),* die vom Adressaten auszufüllen sind, oder *Briefe,* die in konventionell festgelegter Weise beantwortet werden müssen (*Geschäftsbriefe, Todesanzeigen, Einladungen* usw.). Texttypologisch gesehen, ergibt ein Formular wie zum Beispiel die *landing card,* die jeder ausländische Besucher vor Betreten Englands während der Bootsüberfahrt auszufüllen hat, nach den entsprechenden Eintragungen durch den Dialogpartner einen konventionell verkürzten objektiven *Bericht* über jeden einzelnen Besucher der Insel:

(34) *Landing Card*

Port of embarkation abroad ..............................................

Surname (in block letters)
Familienname in Druckschrift ..........................................
Naam in drukletters

| | |
|---|---|
| Forenames<br>Vornamen ....................<br>Voornamen .................... | Occupation<br>Beruf ........................<br>Beroep |
| Date of birth<br>Geburtsdatum ................<br>Geboortsdatum | Place of birth<br>Geburtsort ...................<br>Geboorteplaats |
| Sex<br>Geschlecht ....................<br>Geslacht | Nationality<br>Staatsangehörigkeit ..........<br>Nationaliteit |

Nationality at birth
Staatsangehörigkeit bei Geburt ..........................................
Nationaliteit bij Geboorte

Number of passport | Issued at
Passnummer .................. | Ausgestellt in .................
Paspoortnummer | Uitgegeven in

on
Am ..........................
Op ..........................

Full address in United Kingdom
Genaue Adresse in Großbritannien ..........................................
Voorgenomen Adres in Groot Britannie

Signature
Unterschrift ...................
Handtekening

In der weit häufigeren monologischen schriftlichen Kommunikation ist andererseits die Aufnahme dialogischer Kommunikationspartien verbreitet. Als Wiedergabe von Dialogen in *direkter* oder Bericht in *indirekter Rede*, die Kommunikationsebenen verschiedenen Grades etablieren, unterliegen sie bestimmten Konventionen vor allem in der graphischen Auszeichnung (Doppelpunkt, Anführungszeichen, Absatzbildung; vgl. auch oben Kap. 4.1.2).

Auch das dritte der eingangs aufgeführten Medienpaare, nichtsprachliche *visuelle* gegenüber *sprachlicher Kommunikation*, zeigt die Tendenz, sich bevorzugt mit dem ranghöheren Medienpaar mündlicher oder schriftlicher Kommunikation zu verbinden. Gegenüber nichtsprachlicher visueller Kommunikation ist sprachliche Kommunikation, mündliche wie schriftliche, durch den Ausschluß bildlicher Repräsentation von Gegenständen und Sachverhalten im Raum gekennzeichnet. Visuelle Kommunikation in bestimmten Textformen und im Medium schriftlicher Kommunikation (etwa eine gedruckte *wissenschaftliche Abhandlung*) bedient sich der Zeichen eines nicht-sprachlichen *ikonischen Kodes:* Linien, Pfeile, Kreise, Quadrate, Farben, Schraffierungen usw. werden nach bestimmten Regeln in Diagrammen (Flußdiagramm, Baumdiagramm, Verlaufsdiagramm etc.) verwendet, um die *sprachliche Kommunikation* über abstrakte Beziehungsverhältnisse in Gestalt räumlicher Wahrnehmungsformen zu ›veranschaulichen‹ und damit zu erleichtern (vgl. hierzu etwa die Diagramme der vorliegenden Untersuchung). Eine andere Form der nicht-sprachlichen visuellen Kommunikation begegnet in mündlicher Kommunikation: die vermittels der Zeichen gestischer Kodes. Eine Typologie der kulturell bedingten Zeichen wird auch an die Klassifizierung gestischer Kodes in die Subkodes von *Mimik, Gestik* und *Bewegungsart* anknüpfen müssen.

Vorwissen in den genannten Bereichen wird zum Beispiel gefordert für die korrekte Dekodierung von *Zeitungsanzeigen* wie der folgenden, in der sich der Werbetexter in Ergänzung des sprachlichen Kodes (vgl. *We'd like to buy your brains ...*) auch des nicht-sprachlichen ikonischen Kodes mit Rückgriff insbesondere auf den Subkode der Gestik (vgl.die Geste des Anbietens und Übergebens), aber auch den der Mimik und Körperhaltung bedient (vgl. S. 69).
Die vorliegende Kombination von Kommunikationsmedien ist charakteristisch für die Strategien der Informationsübermittlung in Textformvarianten des Texttyps *Instruktion*, die der Werbetexter nach der AIDA-Formel einsetzt. Die Intention ist, den Adressaten über die Stufen *attention, interest, desire* und *action* nachhaltig zu einem bestimmten Verhalten zu veranlassen (hier: Bewerbung um ein Volontariat).[59]

Was bedeuten die erläuterten Kommunikationsmedien für die sprachliche Kommunikation in Textformen und ihren Varianten? Es dürfte zunächst deutlich geworden sein, daß Kommunikationsmedien keinesfalls, wie vielfach geschehen, mit Textformen oder gar Texttypen gleichzusetzen sind. Sie sind vielmehr in der Hierarchie der Ebenen der Textkonstitution als jeweils besonders *markierte Zeicheninventarien* einzustufen, deren sich Sprecher in der Texterstellung bedienen. Kommunikationsmedien, so können wir auch sagen, stellen grundlegende, an bestimmte Zeichenvorräte gebundene Methoden der Kommunikation dar, die in verschiedenen Textformen und Textformvarianten in jeweils spezifischer Anteiligkeit und Verbreitung als textformspezifische Konstituenten vorkommen.

Umgekehrt gilt, daß Textformen sich konkret nur in der Weise einzelsprachlich manifestieren können, daß Sprecher sich bestimmter

(35)

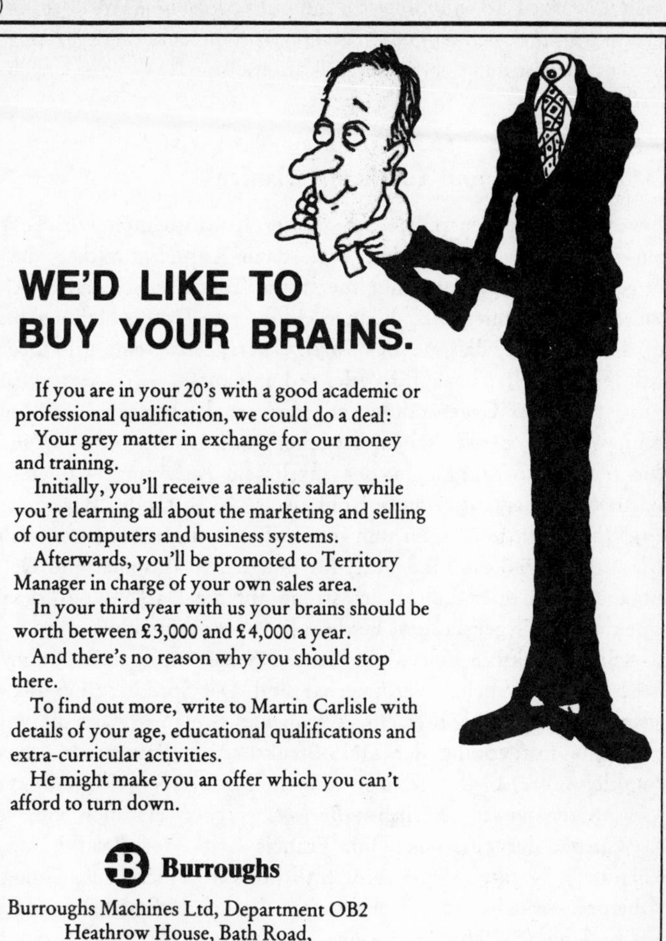


(*The Observer*, 21. Januar 1973)

Kommunikationsmedien bedienen. Eine *Anekdote* etwa kann auf dieser allgemeinen Ebene der Kommunikationsmedien näher charakterisiert werden als *monologisch* und entweder *mündlich* oder *schriftlich* im *sprachlichen Kommunikationsmedium* enkodiert. *Dialogische* Partien können auf der Kommunikationsebene 2. Grades eingebettet werden.

## 4.3 Textformen und Textformvarianten

Obwohl wir die generellste Schicht der Konstituenten von Textformen noch nicht erfaßt haben (vgl. dazu Kap. 5), reichen die bisherigen Kriterien bereits, um spezifische Textformen genauer klassifizieren und definieren zu können. Eine erste Unterscheidung beruht auf der Tatsache, daß aus der *Sprecherperspektive* eine grundlegende Wahlmöglichkeit bezüglich der dominanten *Präsentationsweise* (Kap. 4.1.2) der Gegenstände und Sachverhalte besteht. Der Sprecher kann, wie wir bereits sahen, zwischen *subjektiver Präsentation* und *objektiver Präsentation* in der textlichen Äußerung wählen. Dies bedeutet, daß er entweder sowohl dem ›Gegenstand‹ als auch seiner subjektiven Einstellung zu ihm im Text sprachlich Ausdruck verleiht, also auch persönliche Eindrücke, Meinungen, Reaktionen und Gefühle mit ausdrückt, oder daß er sich streng auf die Darstellung gegebener Aspekte des ›Gegenstandes‹ beschränkt, unter Ausschluß aller Bezüge auf seine subjektive Einstellung, so daß seine Aussagen in ihrem faktischen Wahrheitsgehalt verifizierbar sind. Der Sprecher muß also zum Beispiel entscheiden, ob er ein vergangenes Ereignis (etwa die wissenschaftliche Entdeckung der DNS-Struktur, des Salzes der Deoxyribonukleinsäure) in der Textform einer langen *Geschichte (story)* oder eines kurzen wissenschaftlichen *Berichts (report)* erzählen soll. James D. Watson, der zusammen mit Francis Crick den Bericht von 900 Wörtern in *Nature* (1953) veröffentlichte und für die Entdeckung den Nobelpreis erhielt, erzählt erst später die Geschichte der Entdeckung in *The Double Helix: a Personal Account of the Discovery of the Structure of DNA* (1968), die ihn unter die Bestsellerautoren jener Zeit einreihte.

Alle Manifestationen der fünf idealtypischen Texttypen können daher in zwei große Gruppen eingeteilt werden: die der *subjektiven Textformen* und die der *objektiven Textformen.* In der Zuordnung zu den fünf Texttypen läßt sich das gesamte Feld der Textformen dann in folgender Weise nach subjektiven und objektiven Textformen aufgliedern:

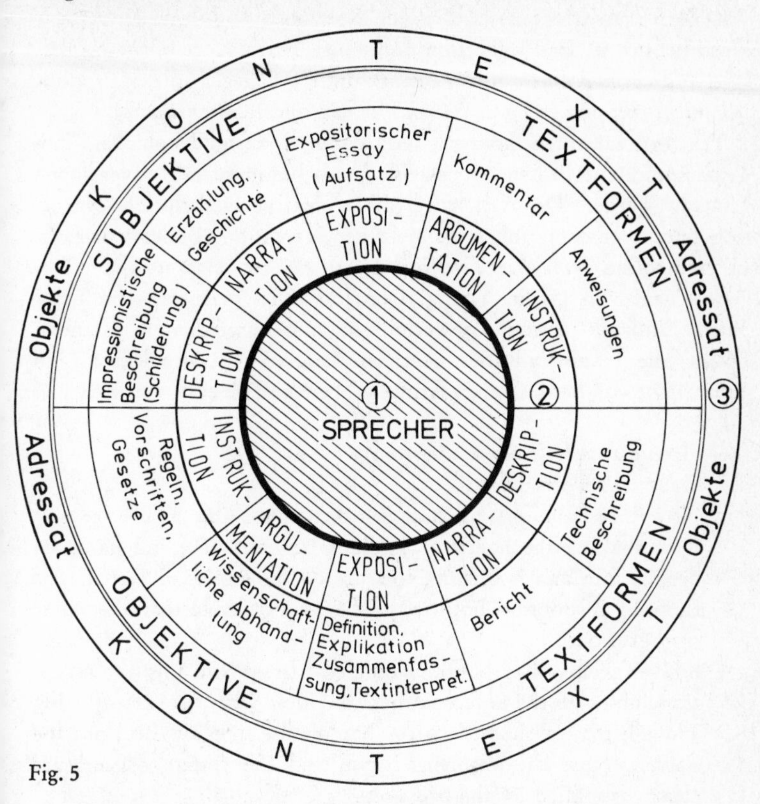


Fig. 5

Die Benennungen der einzelnen Textformen (*Erzählung, Kommentar, Definition, Schilderung, Bericht* usw.) sind auch in dieser *Typologie der Textformen* wiederum als Allgemeinbegriffe aufzufassen. Der Begriff ›Erzählung‹ (bzw. ›Geschichte‹) für die Textformen subjektiver *Narration* zum Beispiel ist ein Allgemeinbegriff, unter den *narrative* Textformvorkommen einzuordnen sind wie *Anekdote, Märchen, Kriminalgeschichte, Biographie, Novelle* und *Roman.* Wir bezeichen solche Textformvorkommen, die *konventionalisierte Abwandlungen* einer dominanten subjektiven oder objektiven Textform darstellen, als *Textformvarianten.* Die aufgeführten Beispiele sind Textformvarianten der *Erzählung* bzw. *Geschichte.* Einige dieser narrativen Textformvarianten werden von Sprechern vorwiegend oder gar ausschließlich in der Produktion *fiktionaler Texte* verwandt (zum Beispiel *Märchen, Novelle* und *Roman*), andere dagegen in der Produktion *nicht-fiktionaler Texte (Anekdote, Geschichte, Biographie).*

Textformvarianten können auch dadurch zustandekommen, daß Textidiome und Präsentationsweisen nach bestimmten Konventionen gemischt werden. Die *Reportage,* die subjektive Deskription, Narration und Argumentation mit objektiver Narration (Bericht) umfaßt, ist eine solche *gemischte Textformvariante.* Das zeigt etwa der folgende Text von Gavin Young. Der Journalist versucht, dem Leser einen Eindruck davon zu vermitteln, unter welchen Umständen Dacca, die Hauptstadt des heutigen Bangladesh (Ostpakistan), im Jahre 1971 von der indischen Armee erobert und besetzt wurde:

(36) *How Dacca fell: the inside story*

Dacca, 18 December

Now the shouts of ›Joi Bangla!‹ deafen us. Our hands are sore with shaking the hands of jubilant Bengalis. The jail has been broken into and hooligans, too, are on the streets of Dacca. The shooting is sporadic, but heavy. Law and order teeters; the water may give out.

Sikh officers, all turban and tangled hair, crowd into the reception lobby of the Intercontinental Hotel where so recently big Punjabi majors shouted to the bar pianist to play ›Roll out the barrel‹. Now the problems begin, and the Indian officers are clearly appalled by the prospect.

Piles of dead soldiers lie about the roads and ditches at the entrance to Dacca. With the advance guard of the Indian Army, the first Indian general into the city, Major-General Gandharu Nagra, said: ›Casualties are severe. Very messy.‹ I asked him if he had already met General Niazi, the Pakistani Army commander in the east. ›Oh, yes. He said he was very happy to see me. We knew each other at college.‹

That first morning of the cease-fire, when victors and vanquished met at last at Army headquarters in North Dacca, I saw the officers of both sides, looking at one another bleakly, but without rancour. There was no Indian jubilation, simply a drained sense of sad futility.

Officers who had been comrades at the same staff colleges, who wear the same North Africa or Burma Stars on their chests, and use the same British slang (›What's the drill, Sir?‹), stood looking at one another wondering who to blame. The Indian troops–dusty in buses, jeeps, or trucks–took the garlands and embraces, the cries of ›Joi Bangla‹ from leaping, near-hysterical Bengalis, smiling but aloof ...

(*The Observer*, 19. Dezember 1971)

Narrative Textstücke (vgl. insbesondere Satz 2 ff. im dritten Absatz, Satz 1 im vierten Absatz) werden in der *Reportage* nicht weiter entfaltet, sondern ständig durch eingeblendete deskriptive und auch argumentative Passagen (vgl. den jeweils letzten Satz im ersten und zweiten Absatz) abgelöst. Auf diese Weise wird dem Leser nur in kleinen Teilschritten ein zeit-räumlicher, die Situation bewertender *Gesamteindruck* aus der subjektiven Sprecherperspektive eines Beobachters in Dacca vermittelt. Darin besteht die spezifische Leistung einer *Reportage* in der textlichen Kommunikation.

## 4.4 Kompositionsmuster

Erst auf der an dieser Stelle unserer Untersuchung erreichten Beschreibungsebene von *Textformvarianten* können wir jenes weite Feld äußerst variabler Textformmerkmale in den Blick nehmen, das in Textvorkommen wie *Anzeige, Brief* oder *Vertrag* und *Gedicht, Sonett, Ballade, Drama* oder *Dokumentationsspiel* nachweisbar ist. Wir greifen die von traditionellen literaturwissenschaftlichen Einordnungsversuchen vielleicht am stärksten belastete Gruppe dieser Textformvarianten heraus, indem wir mit den bisher erarbeiteten Kategorien der Frage nachgehen, was eigentlich ein *Gedicht* seiner textlichen Konstitutionsweise nach ist. Dazu der folgende Beispieltext:

(37) T. E. Hulme

*Above the Dock*

Above the quiet dock in midnight,

Tangled in the tall mast's corded height,
Hangs the moon. What seemed so far away
Is but a child's balloon, forgotten after play.

Der Text mischt in zwei distinkten Textstücken das *deskriptive Textidiom* (Zeile 1–3) mit dem *argumentativen Textidiom* (Zeile 3–4). Wir können auch sagen: der Text mischt die Textformen *impressionistische Beschreibung* und *Kommentar* zu einer Textformvariante, die in ähnlicher subjektiver Mischung eine bedeutende Teilmenge des gesamten Textvorkommens ausmacht.

Was den Text von der oben erwähnten Textformvariante der *Reportage* (36) als *Gedicht* unterscheidet, sind (wenn wir von der Fiktionalität der meisten Gedichttexte absehen) bestimmte Konventionen der Vertextung. Diese Konventionen betreffen vor allem das *layout* der Textsubstanz, d. i. die graphische Raumnutzung und Raumaufteilung auf einer Seite, und die Reihenfolge, in der bestimmte Textkonstituenten (Reimwörter, Hebungen in der Intonationskurve der Sätze) in bestimmten Textpositionen als festgelegten *Kompositionsleerstellen* (zum Beispiel optionale Nutzung des Zeilenendes für Reimwörter) verwandt werden. Der Verfasser eines *Gedichts* im geschriebenen Medium befolgt im *layout* konventionellerweise einen bedeutenden Raumverzicht, der – das sei hier nur angemerkt – im allgemeinen durch eine größere Dichte der Textstrukturierung und Textaussage aufgewogen wird. Die Markierung des Raumverzichts kommt durch Zeilenverkürzung bzw. Zeilenabsatz und -einrückung im Satzspiegel der Buchseite zustande. Spezifischeren Konventionen für diese Textformvariante folgt der Dichter, wenn er die Endpositionen der Zeilen mit Reimwörtern nach dem Muster a a b b (*midnight/height/away/play*) füllt oder – in einer metrischen Konvention – auf je eine unbetonte Silbe mehr oder weniger regelmäßig eine betonte folgen läßt *(Abóve the quíet dóck in mídnight)*.

Für diese und ähnliche Kataloge von Konventionen, denen Sprecher in der Textproduktion im Rahmen distinkter Textformvarianten mehr oder weniger genau folgen, wollen wir den Begriff *Kompositionsmuster* verwenden. Kompositionsmuster entstehen zum einen durch die *Tradition* von geschriebenen Texten mit Merkmalen in Aufbau und Anlage, die Sprecher/Hörer im Umgang mit ihnen teils bewußt, teils unbewußt in ihre Textkompetenz integrieren. Das gilt vor allem für die gesammelte Leseerfahrung mit fiktionalen Texten. Hulme's *Above the Dock* entstand zu einer Zeit, als Dichter wie Edward Storer, F. S. Flint und Francis Tancred an die Leseerfahrung mit Gedichten der französischen Symbolisten anknüpften und den Weg für die neue Poetik des *Imagismus* vorbereiteten, die dann vor allem durch Ezra Pound und Amy Lowell formuliert wurde.[60] Pound, Lowell und andere ihrerseits knüpften auch an die gerade möglich gewordene Leseerfahrung mit chinesisch-japanischen Textformvarianten wie *haiku* und *tanka* an, *Miniaturgedichten* – so könnte man klassifizierend sagen – mit festen dreizeiligen (*haiku*) und fünfzeiligen (*tanka*) Kompositionsmustern, die in einer jahrhundertealten Tradition stehen.[61]

Zum anderen entstehen Kompositionsmuster durch die verbindliche *Setzung* von Gruppen. In diesem Fall spielt Tradition keine oder nur eine untergeordnete Rolle, vielmehr geht es hier um eine normsetzende Vereinheitlichung textlicher Kommunikation vor allem zum Zwecke der Ökonomie, Eindeutigkeit und leichten Verwendbarkeit in einer Informationsübermittlung, die durch *soziale Situationen* (»Redekonstellationen« und »Redekonstellationstypen«; Hugo Steger et al., 1973) weitgehend determiniert ist.

Setzungen der genannten Art gelten vorwiegend für den Bereich nicht-fiktionaler Texte. So wird beispielsweise die Textform *Zusammenfassung* in der Textformvariante des *Abstrakts* – das ist die Zusammenfassung einer wissenschaftlichen Abhandlung – einem Kompositionsmuster unterworfen, das vor allem mit Bezug auf die Textlänge ganz verschiedenen Verwendungszwecken angepaßt werden kann. In einer nur knapp orientierenden *Bibliographie* kann das Kompositionsmuster den Abstrakt auf nur wenige Zeilen beschränken, in einer wissenschaftlichen Zeitschrift mit einer begrenzten Zahl von Aufsätzen (etwa die neueren Jahrgänge der *Publications of the Modern Language Association*) ist dagegen ein Abstrakt bis zu einer halben Seite erlaubt. Noch genauer und differenzierter sind die Konventionen, die der Wissenschaftler in einer *wissenschaftlichen Abhandlung* befolgen muß. Die Empfehlungen etwa des *MLA Style Sheet* (revised edition 1967) beziehen sich nicht nur auf Aspekte wie die Form des Zitierens, der Fußnotenauszeichnungen, die Anlage einer Bibliographie usw., sondern auch auf textkonstitutive Aspekte wie die graphische Markierung von Paragraphen. Dazu heißt es:

For the sake of both appearance and emphasis, avoid writing many very short or very long paragraphs, especially in sequence. Remember that brief paragraphs on your typed page will usually look even briefer in print. Short paragraphs may, of course, acquire virtue in articles intended for journals which print in two columns. (p. 7)

Mit Ausnahme jener Epochen, in denen die Orientierung des Dichters an normsetzenden Poetiken erwartet wurde (etwa Aristoteles, Opitz), sind die in fiktionalen Texten befolgten Kompositionsmuster ständigem, wenn auch allmählichem Wandel unterworfen. Im allgemeinen gilt die Konvention, daß Verfasser dieser Textvorkommen nach ihrem eigenen Profil in der jeweiligen Textformvariante suchen. Auf einer niedrigeren texttypologischen Abstraktionsstufe können daher erneut *Varianten von Kompositionsmustern* durch Merkmalsgruppierungen bestimmt werden, die einerseits *epochengebunden,* andererseits *sprechergebunden* sind. Dem *Sonett* Shakespeares liegt zum Beispiel die Variante eines Kompositionsmusters zugrunde (3 Quartette, gefolgt von einem Reimpaar), das auf Petrarca zurückgeführt wird (2 Quartette, gefolgt von 2 Terzetten); aus der Perspektive von Epochen können diese klassischen Kompositionsmuster des Sonetts von Varianten unterschieden werden, die im 20. Jahrhundert durch Absatzbildung mit variablen Zeilengruppen, Aufhebung der antithetischen Füllung etc. eingeführt worden sind (vgl. etwa Ted Hughes *Owl's Song*). Man wird allgemein sagen können, daß *tradierte Kompositionsmuster* für Textformvarianten der fiktionalen Textgruppe von Sprechern normalerweise durch Leseerfahrung assimiliert und variiert werden, *gesetzte Kompositionsmuster* für Textformvarianten der nicht-fiktionalen Textgruppe dagegen von ihnen memoriert und genau befolgt werden.

Die in diesem Kapitel erreichte Beschreibungsebene von Kompositionsmustern und epochen- bzw. sprechergebundenen Varianten von Kompositionsmustern ermöglicht eine Übersicht, die die verschiedenen *Hierarchiestufen der Textkonstitution,* mit denen in Texten zu rechnen ist, in ihrem Beziehungsverhältnis darstellt. Es läßt sich folgende Matrix aufstellen; je höher die Hierarchiestufe, je weniger sind die zugeordneten Textkonstituenten historischem Wandel unterworfen:

| Texttypologische Klassifizierung / Textvorkommen (Beispiele) | 1. Text | 2. Texttyp | 3. Textform | 4. Textformvariante | 5. Kompositionsmuster | 6. Epochenvariante eines Kompositionsmusters | 7. Sprechervariante eines Kompositionsmusters |
|---|---|---|---|---|---|---|---|
| Kurzes, mehrsätziges, text-typisch gemischtes Zitat | + | – | – | – | – | – | – |
| Zitat im narrativen Textidiom | + | + | – | – | – | – | – |
| Zitat einer Geschichte | + | + | + | – | – | – | – |
| Zitat eines Witzes | + | + | + | + | – | – | – |
| Zitat eines politischen Witzes | + | + | + | + | + | – | – |
| Zitat eines Radio Eriwan-Witzes | + | + | + | + | + | + | – |
| Zitat eines Witzes nach Radio Eriwan-Muster, aber Austausch der Einleitungsformel | + | + | + | + | + | + | + |

Fig. 6

Die in dieser Matrix aufgeführten 7 Stufen stellen eine Hierarchie der Textkonstitution dar, insofern als jede nachfolgende Stufe (2, 3 . . .) die Merkmale der vorhergehenden Stufen (1, 2 . . .) voraussetzt. Die Textform *Geschichte* (3) zum Beispiel realisiert den Texttyp *Narration* (2) und ist zugleich ein *Text* (1).

Außerhalb der aufgeführten Matrix der Hierarchiestufen der Textkonstitution und jenseits der Stufe der Kompositionsmuster und ihrer Varianten manifestiert sich jene Ebene der Textkonstitution, auf der Sprecher Textkonstituenten in individuell gewählten Folgen in der Weise anordnen können, daß beispielsweise nicht-sprachliche Vorstellungen in Korrespondenz mit Erscheinungen, Vorgängen und Sachverhalten in der Objektwelt evoziert werden. Keats *To Autumn* – der Textformvariante nach eine *Ode* mit drei elfzeiligen Strophen, in denen der Dichter das Kompositionsmuster antiker Vorbilder in epochenbedingter Abwandlung realisiert – enthält eine solche expressive Konstituentenfolge mit Bezug auf Phänomene im Raum: »bosom-friend of the maturing sun« in Strophe I, »amid thy store«, »on a granary floor« und »on a half-reap'd furrow« in Strophe II und »gathering swallows ... in the skies« in Strophe III suggerieren eine Sprecherperspektive, die einem Abstieg von der Himmelshöhe hinab in die Herbstwelt folgt (I), eine horizontale Bewegung über sie hin vollzieht (II) und abschließend wieder eine Bewegung aus ihr heraus in die Weite des Himmels aufnimmt (III).[62] Indem der Leser diese Bewegung im Raum in der differenzierten Dekodierung des Gedichts nachvollzieht, wird die vertraute Raumvorstellung eines Tales evoziert. Die Textstruktur wird zur Metapher für die dargestellte Herbstwelt.[63]

*Expressive Textstrukturierungen* der genannten Art bezeichnen wir als *Konfigurationen.*[64] Sie sind charakteristisch für fiktionale Texte. In bekannten englischen Gedichten beispielsweise finden sich Konfigurationen der Symmetrie (Blake *The Tyger*), der ineinandergreifenden Doppelspirale (Yeats *Sailing to Byzantium*) und des sich verlangsamenden Schrittes (Auden *Musée des Beaux Arts*).[65] Auch nichtfiktionale Texte können – wenn auch weit seltener – durch einmalige Konfigurationen gekennzeichnet sein. Man denke etwa an die des Kreises mit einer Rückkehr zum Ausgangspunkt in Essays und Abhandlungen.

Konfigurationen, das dürfte deutlich geworden sein, sind stets individuell gewählte und eng auf den jeweils dargestellten Gegenstandsbereich verweisende einmalige Textstrukturierungen. Sie können ergänzt werden durch *individuelle Entwürfe von Kompositionsmustern,* insbesondere in Texten der nicht-fiktionalen Textgruppe. Finden Konfigurationen und individuelle Kompositionsmuster Nachfolge, dann nehmen sie Modellcharakter an und erstarren zu Kompositionsmustern, die als Konventionen Geltung gewinnen. T. E. Hulmes Gedichte – wir haben sie oben zusammenfassend als *Miniaturgedichte* apostrophiert – fanden als Kompositionsmuster unter den Imagisten

Nachfolge. Bücher wie Cerams *Götter, Gräber und Gelehrte* oder Kellers *Und die Bibel hat doch recht* wurden zu Bestsellern, deren individuelle Konfigurationen und Kompositionsmuster schnell Modellcharakter für andere Autoren annahmen.

Doch auch in begrenzteren Kontexten können individuelle Entwürfe von Konfigurationen und Kompositionsmustern als Modelle für Gruppen wirken. Das *Protokoll* in Form einer knappen *Aktennotiz* über Gespräche und Besprechungen wird sich innerhalb eines bestimmten Betriebes an einem individuellen Beispiel orientieren, das als mustergültig hingestellt oder akzeptiert wird. Ähnlich kann das *Referat* eines einzelnen im Rahmen eines speziellen Fachseminars in der Universitätsausbildung für die Teilnehmer dieses einen Seminars Modellcharakter annehmen und als gültiges Kompositionsmuster *im Rahmen der Konventionen für diese Textformvariante* befolgt werden.

Sowohl in den schöpferischen Konfigurationen von Textkonstituenten als auch in den individuellen Entwürfen von Kompositionsmustern im Rahmen konventioneller Muster in Textformvarianten dürfte die nicht versiegende Quelle für neue Konventionen in Textformvarianten und Textformen zu suchen sein. Diese Quelle individueller Neuerung sorgt dafür, daß die untersten Stufen der textkonstitutiven Hierarchiestufen der oben aufgestellten Matrix (Fig. 6) offen bleiben für die Anpassung an sich verändernde Kommunikationsbedingungen und Kommunikationserfordernisse in der Geschichte. Die Auswirkungen reichen hinauf bis auf die Stufe der Textformen.

# 5. Text

In den voraufgegangenen Kapiteln haben wir im einzelnen untersucht, in welcher Weise die in Textformen nachweisbaren *Textkonstituenten* durch *Texttypen,* Teilaspekte der *Sprecherperspektive* und *Sprachvarianten* und durch *Kompositionsmuster* determiniert werden. Es ist an dieser Stelle erneut zu fragen, ob mit den genannten Aspekten und ihren Teilbereichen bereits alle Schichten der Konstitution von *Textformen* erfaßt sind. Ein Blick auf konkrete Texteröffnungen und ihre nachfolgende Entfaltung lehrt schnell, daß die bisherigen Beobachtungen und Kategorien noch nicht ausreichen, um tatsächlich alle in Textformen vorkommenden Textkonstituenten hinreichend zu erklären. Der folgende (hier unvollständig zitierte) *narrative* Text kann zeigen, um welchen Typus von Konstituenten es sich handelt:

(38) An old negro was one day fishing from a boat near the middle of a river in Africa. There was also a little boy in the boat, who kept looking into the water until he lost his balance, and fell over the side of the boat into the water. At once the old man took off his coat and dived after the boy. He got him safely into the boat, and then rowed for the bank, where they got out all dripping with water...
(*Reproduction Exercises I,* hg. G. Ahting. Dortmund 1957, p. 16)

Die *Kohärenz* dieses Textes beruht unter anderem auf jener wichtigen Sequenz, die mit *An old negro* eröffnet und mit *the old man* und *He* fortgesetzt wird. Wir erkennen, daß diese Sequenz einen der Handlungsträger der Geschichte aus einer *personalen Sprecherperspektive* thematisiert. Es ist die der distanzierenden 3. Person Singular *he.*

Neben dieser durch die Sprecherperspektive etablierten Kohärenz enthält die Sequenz jedoch noch eine grundlegendere Form der Verknüpfung. Es ist die des Übergangs von *An old negro* mit dem *unbestimmten Artikel* zu *the old man* mit dem *bestimmten Artikel* und die von *the old man* mit einer *Nominalgruppe* zu dem *Personalpronomen He.* In diesen Sequenzen begegnen wir einem Prinzip der Verknüpfung von aufeinander folgenden sprachlichen Einheiten, das *unabhängig* von einem *Texttyp* und einer *Textform* mit Sprecherperspektiven und Sprachvarianten in allen Texten als *generell textbildendes Prinzip* gilt.[66] Für unseren Zusammenhang bedeutet dies, daß Textformen auch stets eine Schicht von Textkonstituenten enthalten, die in allen Textvorkommen ohne Abwandlung als textbildende Elemente von Sprechern verwandt werden. Wir können sie im Gegensatz zu den *textformenden* und *textformspezifischen* Textkonstituenten als generell *textbildende Textkonstituenten* bezeichnen.[67]

## 5.1 Textbildende Textkonstituenten

Die Nominalgruppe *An old negro* setzt sich lexikalisch aus zwei grundverschiedenen Wortarten zusammen: dem *Funktionswort* (auch: *grammatisches Morphem) a(n),* das lediglich als grammatisch-syntaktisches Signal ohne Referenz fungiert, und *Inhaltswörtern* (auch: *lexikalische Morpheme)* wie *old* und *negro,* die bedeuten durch ihre *Referenz* auf Gegenstände und Sachverhalte. Zu den Funktionswörtern rechnen wir neben dem bestimmten und unbestimmten Artikel alle Pronomina, Zahlwörter, Präpositionen, Konjunktionen und bestimmte Adverbien geschlossener Klassen (*very, rather, fairly, too*). Inhaltswörter werden durch die Wortarten des Nomens, Verbs, Adjektivs und vieler Adverbien (*rapidly, eagerly, promptly* etc.) geliefert.[68]

Für die Textkonstitution bedeutet die Unterscheidung zwischen Funktions- und Inhaltswörtern, daß wir auch zwischen zwei Arten von Verweisung bzw. Sequenzen in Texten unterscheiden müssen: *funktionalen Sequenzen* mit einzelnen *funktionalen Sequenzformen* und *topikalen Sequenzen* mit einzelnen *topikalen Sequenzformen.*[69] Es sind vorwiegend die Artikel und Pronomina, die dem Sprecher die generell textbildenden funktionalen Sequenzformen liefern. Doch auch zwischen topikalen Sequenzformen lassen sich semantische Beziehungen aufzeigen, die als generell textbildend gelten können.

### *5.1.1 Funktionale Sequenzformen*

Der grundlegende *funktionale Initiator* für die Textbildung ist der unbestimmte Artikel *a/an* in der Textbasis. Er markiert im Normalfall eine Nominalgruppe als indefinit [-definit] und erstgenannt in einem Text [-vorerwähnt]. Als Erstnennungen dieser Art enthält der Einführungssatz der oben zitierten *story* (38) neben *An old negro* noch *a boat* und *a river*.

Als mit dem unbestimmten Artikel äquivalente funktionale Initiatoren können auch die indefiniten Pronomen *some* und *any* bzw. ihre Zusammensetzungen verwandt werden (*Some negro was one day fishing ... Any man can probably fish from ...*).

Sequenzformen, die wie der unbestimmte Artikel eine derart vorausweisende Funktion in Texten haben, indem sie den Anfang einer nachfolgenden Sequenz signalisieren, nennen wir *kataphorische Sequenzformen.*[70] Dazu gehören im Englischen auch Lexeme wie *to begin with, first, at the beginning.*

Der bestimmte Artikel *the* ist das grundlegende *funktionale Sequenzsignal* für die Textbildung auf der Stufe der Fortsetzung und Entfaltung einer Textbasis. Er markiert im Normalfall eine Nominalgruppe als definit [+definit] und vorgenannt in einem Text [+vorerwähnt]. Sequenzformen, die wie der bestimmte Artikel eine rückverweisende Funktion in Texten haben, indem sie die Fortsetzung einer Sequenz signalisieren, nennen wir *anaphorische Sequenzformen* (zum Beispiel auch Lexeme wie *moreover, then, thirdly*). Funktionale Sequenzen des Typus *a – the* beruhen auf dem textbildenden Prinzip der *Definierung*.

Die Verwendung der genannten Typen textbildender funktionaler Sequenzformen unterliegt in konkreten Texten einer Reihe von grammatischen Restriktionen. Ob der unbestimmte Artikel zur Markierung eines Initiators tatsächlich verwandt werden kann, hängt im Englischen zum Beispiel von dem Typus des nachfolgenden Nomens und dessen Numerus ab. Als funktional unmarkierte Initiatoren, die wir als *topikale Initiatoren* bezeichnen, fungieren in der Textbasis zählbare Substantive *(count nouns)* im Plural (Negroes *were one day fishing ...*); konkrete und abstrakte Kollektiva *(mass nouns)* (Music *was heard from ...*); und Eigennamen *(proper nouns) (... fishing from a boat near the middle of a river in* Africa).

Andererseits kann auch der bestimmte Artikel, abweichend von seiner grundlegenden Funktion in der Definierung, in Verbindung mit einer begrenzten Zahl von Initiatoren in der Textbasis verwandt werden. Das gilt für *count nouns* im Singular, die zur Bezeichnung von Gattungen von Gegenständen und Sachverhalten verwandt werden (*In our last lesson we talked about* the *negro in Africa*); ferner für Nominalgruppen, die durch nachfolgende Präpositionalgruppen oder restriktive Relativsätze modifiziert sind (The *negro who was one day fishing from ...*); und für solche Nominalgruppen, die eine situative Referenz haben, die allen Sprachteilnehmern einer Sprache jederzeit bekannte ›Gegenstände‹ umfaßt (*the sun, the moon, the stars, the sky, the air, the press, the radio* u. a.).

Die allgemeine Bedeutung der genannten textbildenden funktionalen Konstituenten wird noch dadurch erhöht, daß das funktionale Sequenzsignal *the* durch ein breites Spektrum von textgrammatisch äquivalenten funktionalen Sequenzsignalen ergänzt wird. Dazu gehören im einzelnen:

| | |
|---|---|
| *Personalpronomina* | (*he, she, it* etc.) |
| *Demonstrativa* | (*this, that*) |
| *Numeralia* | (*two, three* etc.) |
| *Possessiva* | (*his, her, their* etc.) |
| *Relativa* | (*who, which, that*) |
| *Indefinite Pronomina* | (*some, all, any* etc.) |
| das *Stützwort one* | |
| der *Negator no* | |

Eines der wichtigsten Prinzipien der Verknüpfung in Texten stellt neben der *Definierung* der Übergang zu *pronominalen Sequenzsignalen* dar. Statt etwa *an old negro* durch *the negro* fortzusetzen, kann der Sprecher unter bestimmten Bedingungen auch das Pronomen *he* für eine als bekannt markierte Nominalgruppe verwenden. Die Sequenz wird in solchen Fällen durch *Pronominalisierung* gebildet. Da sich *an old negro* auf dieselbe begriffliche Vorstellung bezieht wie *he*, sind Sequenzformen dieses Typs *ko-referent*.[71] Wird umgekehrt ein Pronomen später wieder durch eine Nominalgruppe (bzw. einen Eigennamen) aufgenommen, etwa durch *the old man*, sprechen wir von *Renominalisierung*.[72] Auch sie ist an bestimmte kotextuelle Bedingungen geknüpft (zum Beispiel an stark trennende Einschnitte zwischen Texteinheiten, die den Satz überschreiten, also Sätze, die *Paragraphen, Sektionen* usw. eröffnen).

### 5.1.2 *Topikale Sequenzformen*

Auch zwischen den vorwiegend mit Verben, Substantiven und Adjektiven gebildeten *topikalen Sequenzformen* in Texten finden sich semantische Verknüpfungsbeziehungen, die der Ebene genereller Textbildung angehören. Es sind die Beziehungsverhältnisse zwischen Sequenzformen, die weitgehend mit den folgenden Begriffen der Logik für Relationen erfaßt werden können: *Äquivalenz, Intersektion* und *Inklusion.*[73]

Wir greifen noch einmal auf Satz 1 und 2 in Text (38) zurück. Der topikale Initiator *(a) river* des eröffnenden Satzes wird im zweiten Satz des Textes bereits durch das topikale Sequenzsignal *(the) water* fortgesetzt. Auch andere Sequenzsignale wären an dieser Stelle denkbar:

(39) An old negro was one day fishing from a boat near the middle of a *river*. There was also a little boy in the boat who kept looking into the
(39.1) *river*
(39.2) *voluminous flow of fresh water*
(39.3) *big stream*
(39.4) *water*
(39.5) *watercourse.*

Die unter (39.1) und (39.2) aufgeführten Lexeme veranschaulichen die topikale Sequenzbildung durch Ausnutzung von *Äquivalenzrelationen.* Mit *the river* wird die Äquivalenzrelation durch eine *identische Sequenzform* hergestellt. Der gesamte Bedeutungsinhalt (das *Semem*) *und* das *Lexem* in aufeinander folgenden linguistischen Einheiten sind identisch.[74] Die zweite topikale Sequenzform *voluminous flow of fresh water* ist eine Periphrase des einfachen Lexems *river.* Bei im ganzen gleichbleibendem Semem hat sich das Lexem geändert. Sequenzformen dieser Art bezeichnen wir als *äquivalente Sequenzformen.* Im vorliegenden Text (38) wird nach dem gleichen Prinzip der Äquivalenzrelation auch der topikale Initiator *(a) boat* (Satz 1) durch das identische topikale Sequenzsignal *(the) boat* (Satz 2) fortgesetzt.

Das unter (39.3) aufgeführte Lexem *big stream* veranschaulicht, wie eine topikale Sequenz nach dem Prinzip der *Intersektionsrelation* zustandekommt. Das topikale Sequenzsignal teilt mit dem vorausgehenden Initiator mindestens ein semantisches Merkmal (ein *Sem*): hier die Seme [+Wasser], [+fließend], [+natürlich], [+in einem Graben verlaufend]. Andererseits teilt *stream* mit *river* nicht das Sem [voluminös]. Dennoch sind beide Lexeme auf einen gemeinsamen Bedeutungskern (ein *Archisemem*) beziehbar, der durch das Lexem *watercourse* repräsentiert werden kann.

Wenn Lexeme in aufeinander folgenden linguistischen Einheiten sich in der erläuterten Weise in der Bedeutung überschneiden, sprechen wir von *synonymen Sequenzformen.* Die Lexeme werden voneinander unterschieden durch den Einschluß oder Ausschluß eines oder mehrerer Seme in bezug auf ein gemeinsames Archisemem.

In topikalen Sequenzen kann noch eine zweite, der ersten entgegengesetzte Art der Intersektionsrelation vorkommen: jene, die durch *antonyme Sequenzformen* gebildet wird. Es wäre zum Beispiel denkbar, daß in Text (38) *safe(ly)* mit *dangerous(ly)* oder *wet (dripping with water)* mit *dry* aufeinander folgende linguistische Einheiten verknüpften. In diesen Fällen werden die Lexeme durch die Negation eines Sems in bezug auf ein gemeinsames Archisemem unterschieden, so daß auch alle anderen Seme durch Negation ausgeschlossen werden. Die Negation des Sems [sicher] negiert auch die Geltung anderer Seme (zum Beispiel das Sem [Schutz vor Verlust des Lebens]).

Die oben unter (39.4) und (39.5) aufgeführten Lexeme *water* und *watercourse* schließlich illustrieren die topikale Sequenzbildung durch *Inklusion.* Auch für diese semantische Relation können wir zwei Arten von Sequenzformen unterscheiden: jene, die von der Bedeutung der vorausgehenden Sequenzform durch eine Beziehung der Unterordnung mit eingeschlossen werden (*river* $\supset$ *water*), also *inkludierte Sequenzformen*; und jene, die die vorausgehende topikale Sequenzform in einer Beziehung der Überordnung einschließen (*river* $\subset$ *watercourse*), also *inkludierende Sequenzformen.*

Ohne Einsicht in die erläuterte Inklusionsrelation zwischen topikalen Sequenzformen könnte nicht erklärt werden, warum der Sprecher im 4. Satz von Text (38) *bank* durch den bestimmten Artikel als [+vorerwähnt] markiert, obwohl *bank* vorher im Text nicht vorkommt. Aus der Sicht möglicher Inklusionsbeziehungen zwischen topikalen Sequenzformen wird jedoch deutlich, daß *bank* ein *inkludiertes*

*Sequenzsignal* zu *(a) river* im ersten Satz ist. Man bezeichnet ein inkludierendes Lexem wie *river* als *Supernym*, ein inkludiertes wie *bank* als *Hyponym*.[75]

Die erläuterten Formen der semantischen Verknüpfung topikaler Sequenzformen in aufeinander folgenden linguistischen Einheiten gelten generell auf der Ebene dessen, was wir *Text* nennen. Die sprachlichen Elemente, in denen sich die Verknüpfung als *Äquivalenzrelation, Intersektionsrelation* und *Inklusionsrelation* realisiert, haben wir eingangs als *textbildende Textkonstituenten* bezeichnet. Bisher haben wir als ihre wesentliche Leistung jedoch nur eine Seite der Textbildung durchleuchtet, jene Seite nämlich, die wir zunächst mit dem Begriff *Kohärenz* und später präziser als *Sequenzbildung* mittels bestimmter Schichten von Textkonstituenten bezeichnet haben. Wie verhält es sich, so ist an dieser Stelle weiterzufragen, auf der Ebene des *Textes* mit der zweiten wichtigen Komponente der *Textbildung*, jener nämlich, die wir eingangs mit dem Begriff *Kompletion* umschrieben haben? Unsere Einsichten in die Art und Leistung textbildender Konstituenten ermöglichen eine abschließende Antwort auf diese Frage. Zugleich wird diese Antwort den Kreis unserer Untersuchung, die ihren Ausgang von der Frage nach der Konstitution von *Texten* nahm, wieder auf der allgemeinen Ebene des *Textes* beschließen.

## 5.2 Textbildende Texteinheiten

*Kompletion* haben wir bisher nur mit Bezug auf ein Textganzes in den Blick genommen. Text (2) und Text (19) zum Beispiel ließen erkennen, daß Kompletion ein Aspekt von Texten ist, dessen Vorkommen von der Markierung des *Textanfangs* und des *Textschlusses* durch bestimmte *Initiatoren* und *Terminatoren* abhängt. Diese vorläufige Kennzeichnung konnte bisher in der Untersuchung genügen, weil stets nur kurze *mehrsätzige Texte* als Beispiele für die Analyse dienten. Dadurch könnte der Eindruck entstehen, daß tatsächlich nur mehrsätzige Äußerungen als Texte zu betrachten seien, und diese sich entsprechend aus in bestimmter Weise verknüpften *Sätzen* als den entscheidenden *sprachlichen Einheiten* in Sequenz aufbauten.

Das konkret belegte Textvorkommen einer Sprachgemeinschaft enthält jedoch Texte von der unterschiedlichsten Extension. An der oberen Grenze begegnen etwa mehrbändige *Romane* und mehrbändige *wissenschaftliche Abhandlungen,* an der unteren Grenze *Ein-Satz-Texte* wie *Aphorismen, Redensarten, Sprichwörter* oder *Definitionen.* Der Versuch, Texte etwa streng als *mehrsätzige* Verbände zu definieren, scheitert darum sowohl an der unteren wie an der oberen Grenze der Textextension.[76] Der Ein-Satz-Text enthält wesentlich kleinere linguistische Einheiten als Bausteine als den Satz, der mehrbändige Text dürfte wesentlich größere Einheiten als den Satz enthalten.

Die sich hier bereits abzeichnende wichtige Frage nach den *sprachlichen Einheiten,* aus denen sich Texte generell in der Weise aufbauen, daß auch zwischen und in diesen Einheiten Kohärenz und Kompletion entsteht, wird noch aus einer weiteren Perspektive nahegelegt. Die Erfahrung des Sprechers mit Texten, das ist in den vorausgegangenen Kapiteln deutlich geworden, ist stets eine Erfahrung mit *Textformen* und ihren Varianten. Mit Textformen aber verbindet der Sprecher zugleich auch eine ziemlich feste Erwartung hinsichtlich ihrer Extension: in etwa als die Erwartung eines *kurzen, mittellangen* oder *langen* Textes. Weder Wortzählungen noch Satzzählungen können im allgemeinen diese Vorstellungen von Textformextension, die der von der Empirie geleitete Sprecher hat, präzisieren. Andererseits erscheint eine Präzisierung dringend gefordert, wenn viele Textformen offensichtlich auch in ihrer Extension bestimmten Konventionen unterliegen.

Die Frage nach den sprachlichen Einheiten, aus denen sich Texte als den kompositionell konstitutiven Elementen aufbauen, ist also zugleich auf der Ebene genereller Textbildung und der Ebene textformspezifischer Manifestation bedeutsam. Unsere Eingrenzung dieser Frage aus verschiedenen Perspektiven hat eines darüber hinaus deutlich werden lassen: es ist in der Textanalyse nicht mit der einen sprachlichen Einheit zu rechnen, sondern mit einer *Rangfolge von sprachlichen Einheiten,* deren sich Sprecher in der Produktion von Texten der unterschiedlichsten Extension bedienen können.

### *5.2.1 Syntaktische und textliche Einheiten*

Wenn wir davon ausgehen können, daß es sowohl *einsätzige Texte* als auch *mehrsätzige Texte* gibt, dann ist in Texten mit zweierlei Arten von sprachlichen Einheiten zu rechnen: jenen unterhalb der Satzgrenze, die wir als *syntaktische Einheiten* bezeichnen, und jenen, die, vom *Satz* aufsteigend, oberhalb der Satzgrenze anzusiedeln sind. Letztere wollen wir als *textliche Einheiten* (auch: *Texteinheiten*) bezeichnen.

Der Satz nimmt in dieser Gruppierung eine besonders markierte Position ein. Er ist eine Art Umschaltstelle. Aus der Sicht der *syntaktischen Einheiten* stellt er die ranghöchste syntaktische Einheit dar. Aus der Sicht der *textlichen Einheiten* fungiert er als die rangtiefste textliche Einheit. Auch wenn unter bestimmten Kontextbedingungen (zum Beispiel in einem Dialog mit deiktischem Situationsbezug) mit *Ein-Wort-Texten* zu rechnen ist, gilt die genannte Grenze für die hier sprachlich definierten *Texteinheiten.* Die *linguistisch* elementarste Ebene, auf der sich Texteinheiten nach den sprachlichen Textkohärenz- und Textkompletionsbedingungen realisieren können, ist die des vollständigen bzw. unvollständigen (elliptischen) Satzes (vgl. im einzelnen auch Kap. 5.2.2).

Auf Grund dieser zweifachen Funktion, die der Satz erfüllen kann, ist zu erwarten, daß nicht alle Sätze auch *Texte* sind. Nur jene Sätze werden als Texte akzeptabel sein, in denen die Abfolge der syntaktischen Einheiten noch näher zu bestimmenden Bedingungen der Textlichkeit genügt.

Wir gehen von zwei Texten extrem unterschiedlicher Extension aus, an denen das Gesagte genauer überprüft werden kann:

(40) He who makes no mistakes makes nothing.

(41) *The Sign Busters*

For all its clean air, sparkling water and the majestic backdrop of the Rocky Mountains, the city of Denver presents a vista that is depressingly familiar. Instead of snow-capped peaks and lush vegetations, what greets the visitor is a tawdry landscape of signs, billboards and flashing neon that not only obliterates the surrounding scenery but is so distracting to motorists that it's all they can do to keep their eyes on the road.

Down one 2-mile stretch of South Colorado Boulevard, the flashing proclamations from gas stations, go-go palaces, furniture marts and pancake houses intertwine like a tangled jungle of vines. Some of the signs reach six stories high; one of them, a gigantic billboard advertising a used-car lot, stretches the length of an entire football field. But last August, when a group of Denverites organized a campaign to rid the city of such visual pollution, they faced a battle that was unprecedented in the city's history. For one thing, the Denver City Council had killed anti-sign proposals in the past with monotonous regularity. For another, there was not a major city in the country that had ever succeeded in getting the powerful billboard industry to curb its lust for cluttering the open spaces with advertising.

Arrayed against the crusaders was the formidable power of the local sign interests, a multimillion-dollar industry consisting of some twenty companies, two statewide trade associations and three full-time lobbyists, whose zeal to scotch any sign reform was matched by the money they had to spend. At the outset, the sign men took all the city councilmen to dinner at the plush Denver Athletic Club, subjecting them to hours of slides dedicated to the proposition that signs can be beautiful. Next, the city's 700 billboards began sprouting gushy public service ads to garner goodwill. To top it all off, the billboard companies began echoing the observation of a visiting New York architect that with only mountains and trees to look at, the Denver cityscape would become »antiseptic and bland«. »They still tell me«, says a bemused Tony Jansen, head of the Denver zoning department, »that I'm trying to do away with America, that these signs are art and I'm destroying the character of the city.«

But the anti-sign crusaders, a group of housewives, professionals and businessmen kept at it. They formed an organization called Consumers for Better Signs and sent speakers to every forum in the community. They sponsored protests and picketings, spent five months deluging city councilmen with phone calls, letters and telegrams, and finally won the support of some community leaders through a campaign of sheer embarrassment. Thus, after it was pointed out to the Colorado National Bank that its »Endorse Denver's Beauty« campaign was being pushed by plastering the message on billboards that blotted out the view, billboards began to disappear.

Last month, the anti-sign campaign finally paid off. By a unanimous vote the city council passed a law that made Denver

the first major city in the nation to ban intrusive signs from its roadways and buildings. The new ordinance provides for an end to all billboards within five years, and stipulates that the most expensive shall be the last to go; it places an immediate ban on all lighted signs that flash, crawl or oscillate and eventual ban on nonlighted signs atop buildings, on those which rise more than 32 feet high off the ground, and on those which stick out more than 24 inches from a storefront into the street. In the future, the only signs permitted must lie flat on the wall, be parallel to the building and encompass an area no larger than 3 per cent of the building face. »It's fantastic«, exulted Gerald Dixon, a 29-year-old architect and head of CBS. »Suddenly, we're going to be able to see the trees and the mountains you couldn't see before. It's going to make Denver a wonderful place and it could be a model code for the rest of the country.«
(*Newsweek*, 7. Juni 1971, pp. 31–2) [77]

*5.2.2 Ein-Satz-Texte*

Das *Sprichwort* (40) ist in Übereinstimmung mit unserer eingangs gegebenen Definition von *Text* (Kap. 1.2) als Ein-Satz-Text aufzufassen.[78] Im Gegensatz zu allen Sätzen, die nicht als Texte zu betrachten sind, zeichnen sich Ein-Satz-Texte – aus der Sicht textinterner Merkmale – durch textlich definierte Kohärenz und Kompletion aus. Sätze mit diesen textlichen Merkmalen sind weitaus seltener als Sätze, die als abhängige sprachliche Einheiten in mehrsätzigen Texten vorkommen und dort nur bestimmte Stellen in der Kohärenz und Kompletion von Satzgruppen füllen. Eine Erklärung für diese Tatsache dürfte darin zu suchen sein, daß Sätze, die Ein-Satz-Texte sind, eine Dichte der Strukturierung aufweisen – nämlich eine um die textliche ergänzte syntaktische Strukturierung –, die in innertextlich abhängigen Sätzen normalerweise fehlt. Ein-Satz-Texte enthalten – analog zu Mehr-Satz-Texten – eine thematische Textbasis und zugleich deren Entfaltung und Termination.

Die Stellen in Sätzen, an denen diese textlichen Aspekte in Ein-Satz-Texten normalerweise realisiert werden können, sind die in der Forschung zur *funktionalen Satzperspektive* wiederholt als *Thema* (auch: *topic)* und *Rhema* (auch: *comment*) bezeichneten Satzstücke.[79]

Die Begriffe leiten sich her aus der Beobachtung, daß Sätze – semantisch gesehen – normalerweise mit dem in der Kommunikationssituation bekannten (gegebenen) Inhalt, also dem *Thema*, eröffnen und normalerweise mit dem für den Adressaten unbekannten (neuen) Inhalt, dem *Rhema*, schließen.[80] Grammatisch gesehen, wird das *Thema* im einfachen Satz im Englischen normalerweise – und grob gesprochen – durch das Subjekt (S) vertreten, das *Rhema* durch alle übrigen Konstituenten (PCA) zu seiner Rechten. In einem Satz aus Text (41) läßt sich entsprechend der erläuterten funktionalen Satzperspektive die folgende Gliederung aufzeigen:

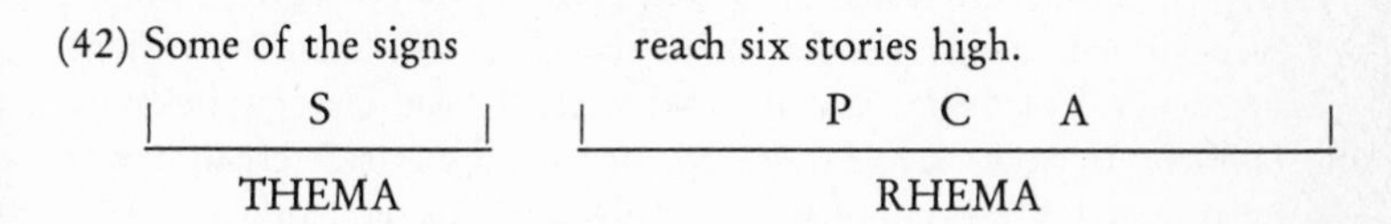


In dem Satz, der Text (39) konstituiert, sieht die Gliederung so aus:

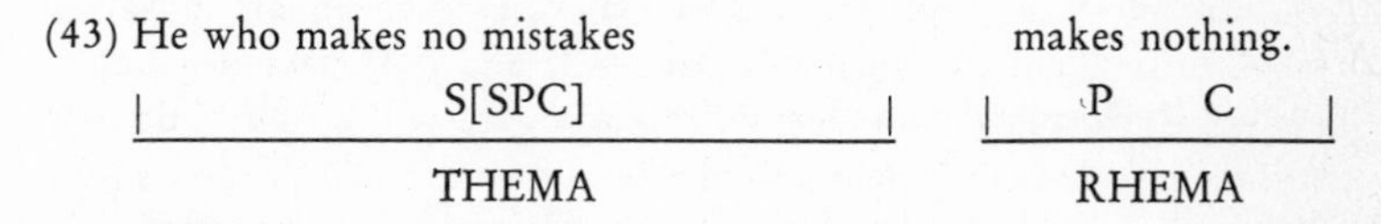


Die in (43) in eckigen Klammern aufgeführten Konstituenten repräsentieren die eingebettete Struktur eines Relativsatzes.

Die *textlich* relevanten Unterschiede zwischen den beiden Sätzen sind in der lexikalischen Füllung des Themas und des Rhemas zu finden. Mit Bezug auf das *Thema*, das den bekannten Inhalt repräsentiert, sind beide Sätze unterschiedlich mit der Kommunikationssituation verknüpft. Für den Adressaten ergibt sich die Bekanntheit der mit dem Thema in Satz (42) eingeführten Information durch den in der spezifischen Kommunikationssituation bereits geäußerten vorausgehenden Text (vgl. in Text (41) insbesondere folgende Benennungen des Themas: »a tawdry landscape of signs, billboards and flashing neon« (Z. 4 f.); »the flashing proclamations from ...« (Z. 8); und »a tangled jungle of vines« (Z. 10)). Das Thema des Satzes (42), so können wir sagen, trägt das Merkmal [+kotextuell bekannt].

Die Bekanntheit der mit dem Thema in Satz (43) eingeführten Information ergibt sich für den Adressaten weder *kotextuell* – es geht dem Satz ja kein Text voraus – noch *situativ*, d. i. aus der unmittelbaren Präsenz von nichtsprachlichen Phänomenen in der Kommunikationssituation. Die Bekanntheit beruht vielmehr auf einem allgemeinen *Vorwissen*, das der Sprecher mit Bezug auf ein als gemeinsam vorausgesetztes Wirklichkeitsmodell beim Adressaten voraussetzt. »He who makes no mistakes« kann in Satz (43) als *Thema* fungieren, weil der eingeführte Inhalt für den Adressaten auf Grund seines Wirklichkeitsmodells vorstellbar ist (jeder hat schon einmal Fehler gemacht), also das Merkmal [+kontextuell bekannt] trägt.

Wir können damit bereits festhalten, daß Ein-Satz-Texte durch *Themen* markiert sind, die das Merkmal [+kontextuell bekannt] aufweisen. In *mehrsätzigen Texten*, das kann zugleich ergänzt werden, kommen Sätze mit derart markiertem Thema häufig als texteröffnende Sätze vor (vgl. Text (41): »For all its clean air, sparkling water and the majestic backdrop of *the Rocky Mountains, the city of Denver* ...«).

Auch mit Bezug auf das *Rhema*, das den neuen Inhalt in Sätzen repräsentiert, unterscheiden sich Satz (42) und (43) nach den kotextuellen Erwartungen an den Adressaten. Satz (42) führt mit dem Rhema jene neue Information ein, die auf Grund des Vortextes vom Adressaten als eine thematisch relevante Entfaltung verstanden werden kann (in Text (41) etwa zu »that ... obliterates the surrounding scenery« (Z. 5 f.)). Das in Satz (42) neu eingeführte Detail »reach six stories high« begründet bereits im daran anschließenden Satz die Wendung »such visual pollution« (Z. 14). Das Rhema in (42) trägt demnach das allgemeine Merkmal [+kotextuell relevant].

In Satz (43) dagegen beruht die thematische Relevanz der neuen Information des Rhemas »makes nothing« auf einem allgemeinen *Vorwissen*, das der Sprecher mit Bezug auf ein gemeinsames Wirklichkeitsmodell beim Adressaten als zu ergänzen präsupponiert. Das Rhema »makes nothing« trägt also das Merkmal [+kontextuell relevant].

Ein-Satz-Texte sind, so können wir generalisierend sagen, durch Rhemen markiert, die das Merkmal [+kontextuell relevant] aufweisen. In mehrsätzigen Texten, so ist zu ergänzen, sind es jeweils die texteröffnenden Sätze, die häufig derart markierte Rhemen aufweisen. Ein-Satz-Texte können also unter bestimmten Bedingungen als eröffnende Sätze in mehrsätzigen Texten verwandt werden. Die Umkehrung jedoch gilt nicht. Nur die wenigsten texteröffnenden Sätze sind Ein-Satz-Texte.

Die nicht geltende Gleichsetzung von texteröffnenden Sätzen mit Ein-Satz-Texten gibt uns noch eine weitere Einsicht in die Konstitutionsweise von Ein-Satz-Texten. Sie unterscheiden sich von texteröffnenden Sätzen ganz wesentlich auch dadurch, daß der Sprecher in ihnen normalerweise eine *Sprecherrolle* einnimmt, die den Bezug auf eine spezifische Kommunikationssituation transzendiert. Er spricht in der Rolle eines Sprechers, der sich an alle Adressaten einer Sprachgemeinschaft wendet und seine Äußerung mit dem Anspruch macht, daß sie in jeder konkreten Kommunikationssituation zwischen individuellen Sprachteilnehmern gelten kann. *Sprichwörter* sind bereits *vorformulierte* Ein-Satz-Texte, die der Sprecher zitierend in einer konkreten Kommunikationssituation verwendet; *Aphorismen* oder *Definitionen* sind vom Sprecher *neu produzierte* Ein-Satz-Texte aus der Perspektive einer überindividuellen Sprecherrolle.

Mit diesen Einsichten in distinktive Merkmale von Ein-Satz-Texten ist bereits deutlich geworden, daß die *syntaktischen Einheiten,* also die des *Morphems, Wortes,* der *Gruppe (Phrase)* und des *Satzes,* nur unter ganz bestimmten Kommunikationsbedingungen Texte konstituieren können. Die Empirie lehrt, daß sie die weniger häufige Ausnahme in Kommunikationsakten darstellen. Wir können auch sagen: *Sätze* werden in der Mehrzahl aktueller Kommunikationssituationen als *abhängige sprachliche Einheiten* zur Konstitution von längeren Texten verwandt.[81]

### *5.2.3 Mehr-Satz-Texte*

Um Einblick in die *Rangfolge der Texteinheiten* zu gewinnen, die oberhalb der Satzgrenze anzusetzen sind, gehen wir von dem längeren der oben zitierten Texte aus (41). Das graphische Arrangement der Sätze zeigt, daß der gesamte Text in fünf Zeilengruppen untergliedert ist, von denen jede mehrere durch Punkte markierte Sätze umfaßt. Es sind fünf *Druckabschnitte (Paragraphen),* die im vorliegenden Text signalisieren, in welcher Weise der Text sich aus mehrsätzigen Einheiten bzw. *Kompositionsgruppen* aufbaut. Obwohl die durch graphische Auszeichnung gebildeten Paragraphen in schriftlicher Kommunikation sich nicht immer mit den semantisch determinierbaren Kompositionsgruppen eines Textes decken (man vgl. einerseits die extrem kurzen mehrsätzigen Druckabschnitte in *news stories*, andererseits mehrere Seiten fortlaufenden Textes umfassende Druckabschnitte in *Romanen*), liegt es nahe, zunächst zu untersuchen, ob diese oder ähnliche Gruppierungen im vorliegenden Text nicht nur *graphisch*, sondern auch *kotextuell* als *Texteinheiten oberhalb des Satzes* markiert sind. Daß dies tatsächlich zutrifft, kann zum Beispiel am dritten Druckabschnitt nachgewiesen werden.

Der dritte Druckabschnitt in Text (41) umfaßt fünf – zum Teil recht lange – Sätze. Die auf den ersten Satz dieses Abschnittes folgenden Sätze sind durch satzeröffnende *temporale Sequenzformen* markiert, die deutlich eine kohärente und zugleich nach Anfang, Weiterführung und Schluß komplettierte Sequenz etablieren:

*At the outset, ...*
*Next, ...*
*To top it all off, ...*

Schon diese eine Sequenz läßt erkennen, was für *Texteinheiten* ganz generell gilt: jede abhängige Texteinheit ist markiert durch eigene Strukturen der Kohärenz und Kompletion, die zunächst nur innerhalb dieser Texteinheit gelten. Gegenüber dem Text, der ebenfalls durch Kohärenz und Kompletion definiert ist, unterscheiden sich die ihn aufbauenden Texteinheiten als *abhängig*. Im vorliegenden Abschnitt sind die Signale, die diese textinterne Abhängigkeit anzeigen, im abschnittseröffnenden ersten Satz enthalten: »Arrayed against« knüpft an »organized a *campaign*« und »faced a *battle*« im vorausgehenden 2. Druckabschnitt an, »the formidable *power* of the local *sign interests*« an »the *powerful billboard industry*« im 2. Druckabschnitt. Zugleich aber reichen die Rückverweise auch bis in die den Text eröffnenden Sätze zurück, in denen »a tawdry landscape of *signs, billboards and flashing neon*« bzw. »The *Sign* Busters« als *Thema* des ganzen Textes eingeführt wurden.

Die vorliegende graphisch *und* sprachlich markierte Texteinheit ist also abhängig, insofern sie durch Sequenzformen als eine Teilentfaltung der eröffnenden thematischen Textbasis markiert ist. Da die Texteinheit mehrere *Sätze* als ihre Konstituenten enthält – im Gegensatz zum Beispiel zu den syntaktischen Einheiten, die den *Satz* konstituieren –, bezeichnen wir sie als einen *Paragraphen*. Paragraphen sind Texteinheiten, die der *Substanz* nach als Sprech- bzw. Druckabschnitte in den meisten Textformen vom Textproduzenten ausgezeichnet werden *können*, in fortlaufenden Texten jedoch nach *formalen, kotextuellen* und *kontextuellen* Merkmalen als den Satz überschreitende Kompositionseinheiten vom Textproduzenten abgegrenzt werden müssen. Die wichtigste Auszeichnung eines abhängigen Paragraphen beruht auf dem gleichen Prinzip wie die eines unabhängigen Textes: die semantisch orientierte Unterscheidung zwischen einem oder (seltener) mehreren Sätzen, die die thematische Paragraphenbasis enthalten (*Basissatz*), und einem oder (häufiger) mehreren Sätzen, die die thematische Paragraphenentfaltung (Element- oder *Bitsatz*) und einen optionalen Schlußsatz *(Basisterminator)* enthalten:

| | |
|---|---|
| *Basissatz:* | Arrayed against the crusaders was the formidable power of the local sign interests [...] whose zeal to scotch any sign reform was matched by the money they had to spend. |
| 1. *Bitsatz:* | At the outset, the sign men took all the city councilmen to dinner ... |
| 2. *Bitsatz:* | Next, the city's 700 billboards began sprouting gushy public service ads ... |
| 3. *Bitsatz:* | To top it all off, the billboard companies began echoing the observation of a visiting New York architect ... |
| *Basis-terminator:* | »They still tell me«, says a bemused Tony Jansen, head of the Denver zoning department, »that I'm trying to do away with America ...« |

Ausgehend von dem eröffnenden Satz dieses 3. Paragraphen, zeigt sich jedoch auch, daß von den dort eingeführten (textabhängigen) topikalen Sequenzformen (»the crusaders«, »the local sign interests«)

nur eine bereits in diesem 3. Paragraphen entfaltet wird, nämlich die der »local sign interests«. Die erste dieser topikalen Sequenzformen (»the crusaders«) wird erst zu Beginn des nachfolgenden 4. Paragraphen wieder aufgenommen, und zwar im eröffnenden *Basissatz* »But the anti-sign crusaders ...«.

Auch dieser 4. Paragraph ist deutlich durch sprachliche Mittel als eine linguistische Einheit gekennzeichnet, die ihre eigenen Strukturen der Kohärenz und Kompletion aufweist:

They *formed* an organization ...
... *spent five months* deluging city councillors ...
... and *finally* won ...
*Thus, after* it was pointed out ...

Wie der topikale Initiator des Basissatzes auf der Ebene dieses Paragraphen jedoch zeigt, ist diese Texteinheit nicht nur abhängig mit Bezug auf den gesamten Text, in dem sie vorkommt, sondern zunächst einmal auch mit Bezug auf den vorausgehenden 3. Paragraphen; denn dessen Basissatz führte den topikalen Initiator erstmals ein. In diesen kotextuellen Beziehungsverhältnissen zum vorhergehenden Paragraphen einerseits und zum übergeordneten Textganzen andererseits zeichnet sich demnach eine ranghöhere Texteinheit ab, die sich aus *Paragraphen* als ihren Konstituenten aufbaut. Wir bezeichnen diese höhere Texteinheit als eine *Sektion.*

Nehmen wir den gesamten Text (41) in den Blick, so wird deutlich, daß auch die *Sektion* noch nicht die ranghöchste Texteinheit in diesem Zeitungsartikel darstellt. Sowohl der 1. plus 2. als auch der 5. Paragraph sind deutlich als eigene Sektionen markiert. Texteinheiten, die Sektionen als ihre Konstituenten enthalten, stellen wiederum eine ranghöhere Texteinheit dar. Wir bezeichnen sie mit einem eingeführten Begriff als *Kapitel.* Der vorliegende Text (41) enthält keine höheren Texteinheiten mehr, er hat insgesamt die Länge eines Kapitels. Texteinheiten, die die Länge des Kapitels überschreiten – das sei hier nur ergänzt – sind der *Teil* und das *Buch.* Die *Rangfolge der Texteinheiten* läßt sich demnach graphisch durch eine fortlaufende Folge einander umschließender und einschließender Einheiten darstellen:

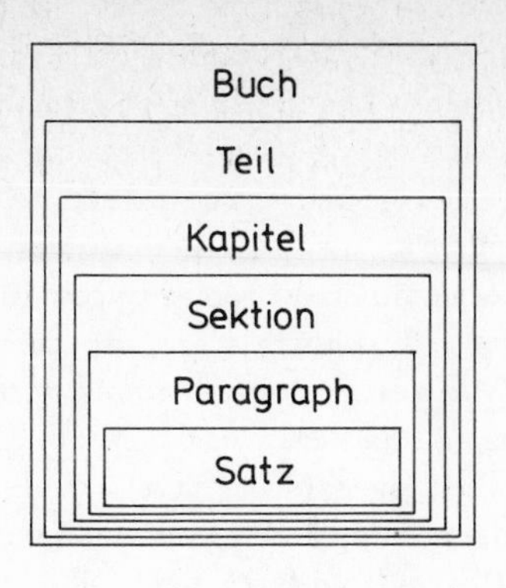


Fig. 7

In Texten, die rangverschiedene Texteinheiten oberhalb des Satzes enthalten, können Sequenzformen (Initiatoren, Sequenzsignale und Terminatoren) stets gleichzeitig Funktionen auf verschiedenen Ebenen erfüllen. Ein Initiator im Basissatz eines Paragraphen kann beispielsweise durch spätere Anknüpfung auf der Sektions- oder Kapitelebene auf diese Ebenen ›angehoben‹ werden und entsprechend als Initiator für die Sektion oder das Kapitel fungieren.

Die ranghöhere Markierung einer mit Bezug auf Texteinheiten *mehrdimensionalen* Sequenzform wird vor allem durch die kotextuell korrespondierende Position (insbesondere durch korrespondierende Anfangspositionen und korrespondierende Schlußpositionen) signalisiert, aber auch durch Mittel wie die wörtliche Wiederholung, die Wiederaufnahme und Fortsetzung einer Reihe oder die Akkumulation von Sequenzformen. In George Orwells *Animal Farm* könnte bei isolierter Lektüre des 5. Kapitels zum Beispiel der temporale Initiator »As winter drew on« zunächst als Anfangssignal für eine Sequenz auf Paragraphenebene ($INIT^p$) verstanden werden. Setzt man die Lektüre fort, so wird schon mit Beginn des zweiten Paragraphen deutlich, daß der genannte Initiator auch hier noch gilt, d. h. er wird an dieser Stelle für den dekodierenden Leser angehoben zu einem Initiator, der auch auf *Sektionsebene* gilt. Geltung auf Sektionsebene schließt die Geltung auf Paragraphenebene ein ($INIT^s$):

(44) *As winter drew on,* Mollie became more and more troublesome. She was late for work *every morning* and excused herself by saying that she had overslept, and she complained of mysterious pains, although her appetite was excellent. On every kind of pretext she would run away from work and go to the drinking pool, where she would stand foolishly gazing at her own reflection in the water. But there were also rumours of something more serious. *One day as Mollie strolled blithely into the yard,* flirting her long tail and chewing at a stalk of hay, Clover took her aside. ›Mollie‹, she said, ›I have something very serious to say to you. This morning I saw you looking over the hedge that divides Animal Farm from Foxwood ...‹
(Harmondsworth 1951, p. 41)

Setzt man schließlich die Lektüre mit dem 6. Kapitel fort, so wird deutlich, daß der ursprüngliche Initiator »As winter drew on« auch auf der Ebene des ganzen vorhergehenden Kapitels 5 galt ($INIT^{k}$). Mit »All that year« und »Throughout the spring and summer« in Kapitel 6 wird die Chronologie der Jahreszeiten zur zeitlichen Maßeinheit für die temporalen Initiatoren auf der Ebene dieser Kapitel von *Animal Farm:*

(45) *All that year* the animals worked like slaves. But they were happy in their work; they grudged no effort or sacrifice, well aware that everything that they did was for the benefit of themselves and those of their kind who would come after them, and not for a pack of idle, thieving human beings.

*Throughout the spring and summer* they worked a sixty-hour week, and *in August* Napoleon announced that there would be work on Sunday afternoons as well ...
(A. a. O., p. 53)

Das 7. Kapitel eröffnet in konsequenter Fortsetzung der chronologischen Abfolge mit »It was a bitter winter«.

### *5.2.4 Abhängige und unabhängige Texte*

Die erläuterten *Texteinheiten* haben gliedernde, d. h. die Kohärenz und Kompletion eines Textganzen in kleinere kompositorische Einheiten von Kohärenz und Kompletion zerlegende Funktion in Texten, wann immer Sprecher sich ihrer bedienen. Ihrer Vorkommensart nach sind Texteinheiten entweder *unabhängige Texte* oder *abhängige Texte*, die einen unabhängigen Text von der Länge einer höheren Texteinheit konstituieren.[82]

Da konkrete Texte jedoch, wie wir in unseren eröffnenden Kapiteln gesehen haben, zugleich stets durch *texttypische* Merkmale und konventionelle *Textformmerkmale* markiert sind – dazu zählt häufig auch das der Extension –, begegnet die vom Satz aufsteigende Rangfolge der genannten Texteinheiten normalerweise nur in einer mehr oder weniger begrenzten Auswahl in Textformen. Die kleineren Texteinheiten (vom *Satz* bis zum *Kapitel*) sind dabei in allen oder den meisten mehrsätzigen Textformen vertreten. Neben den *Witz* von insgesamt nur Paragraphenlänge, die *Anekdote* von Sektionslänge oder die *Kurzgeschichte* von Kapitellänge lassen sich etwa Großformen wie der *Roman* mit Teilen und Büchern stellen, die stets auch Paragraphen, Sektionen und Kapitel als sie konstituierende rangtiefere Texteinheiten mit enthalten. In bestimmten Textformvarianten der fiktionalen Textgruppe mit Strophenkomposition (*Gedicht, Versepos)* ist der Paragraph als *Strophe* mit streng konventionalisiertem Kompositionsmuster belegt (vgl. dazu Kap. 4.4).
Der *Paragraph*, der alle mehrsätzigen Texte konstituiert, erscheint als die bedeutendste *textbildende Texteinheit* der vorgestellten Rangfolge. Seine Konstitutionsweise – wie auch seine Veränderung durch die Einbettung in ranghöhere Texteinheiten – bedarf einer eigenen textlinguistischen Untersuchung.[83]

# 6. Textanalyse zur Überprüfung des texttypologischen Modells

In der Penguin-Ausgabe der Werke George Orwells ist die folgende Satzgruppe auf dem Deckblatt vor der Titelseite des jeweiligen Bandes abgedruckt:

(46) George Orwell (whose real name was Eric Blair) was born in India in 1903, and was educated at Eton. From 1922 to 1928 he served in Burma in the Indian Imperial Police. For the next two years he lived in Paris, and then came to England as a school-teacher. Later he worked in a bookshop. In 1937 he went to Spain to fight for the Republicans and was wounded. During the Second World War he was a member of the Home Guard and worked for the B.B.C. In 1943 he joined the staff of *Tribune,* contributing a regular page of political and literary commentary, *As I Please.* He later became a regular contributor to the *Observer,* for which newspaper he went as a special correspondent to France and Germany. He died in London in 1950.

Die 9 Sätze dieser Satzfolge sollen auf den drei Hauptebenen unseres texttypologischen Modells nach ihren kennzeichnenden textuellen Merkmalen befragt werden. Es sind die Ebenen des *Textes,* des *Texttyps* und der *Textform,* evtl. der *Textformvariante* und des *Kompositionsmusters.* Die Überprüfung kann als abgeschlossen gelten, wenn es gelingt, alle Elemente der Satzfolge eindeutig als Konstituenten auf den verschiedenen Ebenen zu benennen, einzuordnen und auf der Basis dieser *Textanalyse* die vorliegende Textform bzw. die spezielle Textformvariante zu kennzeichnen.

Die Satzgruppe ist als *Text* zu verstehen, insofern sie nach den Regeln der Kohärenz und Kompletion verknüpft ist. Die *Subjektstelle* aller Sätze ist einheitlich durch die *Sprecherperspektive* der 3. Person Singular besetzt. Der Eigenname *George Orwell* fungiert als *nicht-markierter topikaler Initiator,* der durch das *funktionale Sequenzsignal he* in den Sätzen 2 bis 9 nach der *Pronominalisierungsregel* (vgl. oben 5.1.1) fortgesetzt wird. Die *Prädikatstelle* aller Sätze ist ebenso einheitlich durch die *Sprecherperspektive* in der Zeit besetzt: alle Verbalgruppen stehen im Imperfekt und etablieren damit wiederum eine *funktionale Sequenz* von Tempusmorphemen (*was born, was educated, served, lived* etc). Die *Adverbialstelle* aller Sätze ist mit *temporalen Adverbien* besetzt, die als *temporale* (topikale) *Sequenzformen* eine lineare Progression im Zeitkontinuum von 1903 bis 1950 abbilden (vgl. *in 1903, From 1922 to 1923, For the next two years, and then, Later*).

Die erläuterte *Kohärenz* der Sätze wird ergänzt durch Merkmale, die die *Kompletion* der Satzgruppe signalisieren. Satz 1 enthält *topikale Initiatoren* der Person (*George Orwell)* und des Geschehens (*was born*). Der Initiator *was born* enthält das semantische Merkmal [+Lebensbeginn] und determiniert damit kotextuell auch die Zeitangabe *in 1903* als expliziten temporalen Initiator. Satz 9 enthält in dem *topikalen Terminator died* ein Schlußsignal mit dem semantischen Merkmal [+Lebensende]. Die den Satz beschließende Zeitangabe *in 1950* wird damit kotextuell als *expliziter temporaler Terminator* determiniert. Die Kohärenz und Kompletion der Satzfolge ist zugleich die des gesamten *Textes* und die der höchsten in ihm manifestierten *Texteinheit*: des Absatzes oder – wie wir in Abgrenzung gegen die nicht definierte Bezeichnung ›Absatz‹ und in Anlehnung an den englischen Sprachgebrauch sagen – des *Paragraphen*.

Der vorliegende Text ist darüber hinaus als *Texttyp* zu verstehen, insofern er aus einer *thematischen Textbasis* entfaltet wird, die wir als *narrative Textbasis* definiert haben. Reduziert auf die Länge des einfachen Satzes, enthält die Textbasis des vorliegenden Textes folgende Elemente:

*George Orwell was born in India in 1903.*
$S(NG) + P(V_{change} + \mathit{Past}) + A(ADV_{loc}) + A(ADV_{temp})$

Die 9 Sätze des Textes bilden eine Sequenz *handlungsaufzeichnender Sätze* der gleichen Grundstruktur. Der Text ist also im *narrativen Textidiom* geschrieben. Die dominante texttypische Sequenz wird durch *temporale Sequenzformen* etabliert. Der Text hat damit eine dominante temporale Strukturierung. Die lokale Strukturierung ist *subsidiär* und durch die individuelle Lebensgeschichte Orwells bedingt. Primär ist die Aufmerksamkeit des Textproduzenten auf Erscheinungen und Veränderungen in der Zeit gerichtet.

Der vorliegende Text ist schließlich als *narrative Textform* genauer einzuordnen, insofern der Textproduzent die dargestellten Gegenstände und Sachverhalte auf den exakt verifizierbaren Bezugsrahmen einer historischen Person, der öffentlichen Zeit und geographischer Räume bezieht unter Ausschluß aller Bezüge auf seine subjektive Einstellung zu den genannten Phänomenen. Das *narrative Textidiom* hat also eine durchgehend *neutrale Stilfüllung*. Der vorliegende narrative Text ist auf Grund seiner objektiven Präsentationsweise von auf eine Person bezogenen Veränderungen in der Zeit als *Bericht* einzuordnen.

Berichte unterscheiden sich im einzelnen weiter nach dem Zweck, den sie in einer bestimmten Kommunikationssituation für den Adressaten erfüllen sollen. Im vorliegenden Bericht werden nach einer bestimmten Konvention die verschiedenen *Rollen* bevorzugt thematisiert, die eine Person an verschiedenen Orten (vgl. *in India, at Eton, in Burma, in Paris, England, in a bookshop, Spain* etc.) und zu verschiedenen Zeiten ihres Lebenslaufs (vgl. die temporale Sequenz) eingenommen hat, so daß der individuelle Erfahrungshintergrund der vorgestellten Person für den Adressaten einschätzbar wird (vgl. *educated at Eton, served ... in the Indian Imperial Police, a schoolteacher, worked in a bookshop, went to Spain to fight* etc.). Die derart in ihrem *Kompositionsmuster* markierte *Textformvariante* des kurzen Berichts wird konventionell als *biographische Notiz* bezeichnet. Die vorliegende biographische Notiz über George Orwell stellt eines der individuellen *Textexemplare* dar, die als biographische Notiz zu klassifizieren sind.

Die Orientierung der vorgetragenen *Textanalyse* an dem texttypologischen Modell, das wir im Verlauf dieser Untersuchung vorgestellt haben, hat im vorliegenden Fall zu einer Spezifizierung der Satzfolge auf Grund *textinterner Merkmale* geführt. Für vergleichbare Textanalysen ist anzumerken, daß nur ein Teil der konventionellen Textformvarianten durchgehend ein einziges Textidiom realisiert. Ebenso häufig sind vielmehr Textformvarianten, in denen verschiedene Textidiome in einer *Mischform* verwendet werden. Die Geltung des texttypologischen Modells wird dadurch nicht beeinträchtigt; denn stets können auch in Mischformen *Textstücke* auf Grund ihrer textidiomatischen Identität als konstitutive Bestandteile einer Mischform ausgegliedert und genauer bestimmt werden. Man denke etwa an *instruktive* Textstücke am Ende eines *Kommissionsberichts* mit weitgehend festgelegtem *Kompositionsmuster* oder *deskriptive* Textstücke in Eröffnungen von *Kurzgeschichten.* Die Autoren einer von der englischen Regierung in Auftrag gegebenen Untersuchung über intensive Tierzuchtmethoden und Tierschutz eröffnen ihre Darstellung beispielsweise mit dem folgenden *objektiv berichtenden* Textstück:

(47) 1. We were appointed by the Minister of Agriculture, Fisheries and Food and the Secretary of State for Scotland at the end of June, 1964: – »To examine the conditions in which livestock are kept under systems of intensive husbandry and to advise whether standards ought to be set in the interests of their welfare, and if so what they should be.«

2. We have held meetings on 33 days, on 15 of which we have heard oral evidence. We have visited 54 livestock establishments throughout England, Wales and Scotland. In addition, we visited Denmark, Holland and Northern Ireland in order to enquire into matters which seemed relevant to our study ...

(*Report of the Technical Committee to Enquire into the Welfare of Animals kept under Intensive Livestock Husbandry Systems;* Chairman: Professor F. W. Rogers Brambell. London: HMSO, 1965, p. 1)

Nach einem breiten Bericht über den Fortgang und die Ergebnisse der Untersuchung beschließen die Autoren ihre Darstellung mit einer Zusammenfassung ihrer *Empfehlungen (recommendations)* für den Gesetzgeber. Diese im festgelegten *Kompositionsmuster* des *Kommissionsberichts* abschließende Kompositionsleerstelle wird konventionell im *instruktiven Textidiom* dargeboten (vgl. die handlungsfordernden Sätze mit *should*-Modifikation des Verbs). Auf diese Weise wird von den Experten die Auswertung des Berichts für die nachfolgende Instruktion eines Gesetzestextes (mit *shall*-Modifikation des Verbs) vorbereitet.

Mit Bezug auf die Intensivzucht von Geflügel heißt es (die in Klammern beigegebenen Ziffern sind Rückverweise der Autoren auf Abschnitte des Berichtteils):

(48) *Poultry*

8. Cages for laying poultry *should* not contain more than three birds. The three-bird cage *should* measure at least 20 inches wide and 17 inches deep and have an average height of 18 inches with the lowest part not less than 16 inches. For two birds the width *should* be 16 inches and for one bird 12 inches. The floor of the cage *should* consist of rectangular metal mesh, no finer than number 10 gauge. (65, 67, 68)

9. The gangway in front of any vertical tier *should* be at least two thirds as wide as the tier is high and the floor of the bottom cages *should* be 12 inches above the level of the gangway. No more than three tiers *should* be permitted from any one level. (73) [...]

*De-beaking*

14. The de-beaking of battery birds and broilers *should* be prohibited. The de-beaking of deep litter birds, turkeys and ducks *should* be reviewed by the Farm Animal Welfare Standing Advisory Committee with a view to early prohibition. The use of spectacles or blinkers *should* be prohibited in birds of more than 5 days of age. (98, 99, 100, 101, 102, 195, 200)

(A. a. O., pp. 63 f.)

Die erwähnte Mischform von Narration und Deskription wird deutlich in der Eröffnung einer traditionellen *long short story* wie Somerset Maughams *The Outstation*. Die Kurzgeschichte beginnt mit sechs Sätzen im *narrativen Textidiom* und temporaler Textstrukturierung, dann schließt sich ein kurzes *deskriptives* Textstück an, in dem die äußere Erscheinung der Hauptfigur der Geschichte vorgestellt wird (vgl. die kursiv hervorgehobenen Sätze):

(49) The new assistant arrived in the afternoon. When the Resident, Mr. Warburton, was told that the prahu was in sight he put on his solar topee and went down to the landing-stage. The guard, eight little Dyak soldiers, stood to attention as he passed. He noted with satisfaction that their bearing was martial, their uniforms neat and clean, and their guns shining. They were a credit to him. From the landing-stage he watched the bend of

the river round which in a moment the boat would sweep. *He looked very smart in his spotless ducks and white shoes. He held under his arm a gold-headed Malacca cane which had been given him by the Sultan of Perak ...*
(*Collected Short Stories,* Bd. 4. Harmondsworth 1971, p. 338)

Die oben vorgetragene exemplarische *Textanalyse* läßt neben der erläuterten klassifizierenden Leistung noch einen weiteren wichtigen *Anwendungsbereich des texttypologischen Modells* erkennen. Indem nämlich die Konstituenten einer Textformvariante auf den Ebenen des Textes, des Texttyps und der Textform in der Analyse isoliert und beschrieben werden, können sie zugleich einem zukünftigen *Textproduzenten* als textformspezifische Elemente bewußt gemacht und damit für eine wirksame Realisierung der spezifischen Textformvariante verfügbar gemacht werden. Der wichtigste Adressat für diesen Anwendungsbereich ist der Heranwachsende, dessen *satzgrammatische Kompetenz* bereits ausgebildet ist, dessen *textgrammatische Kompetenz als Fähigkeit zur richtigen Textbildung* jedoch – je nach der angestrebten Stufe seiner fachlichen und beruflichen Ausbildung – geschult werden kann und im allgemeinen noch ständiger Erweiterung und Ergänzung bedarf.[84]

In diesem um die textgrammatische Dimension erweiterten Sinne verdient eine Bemerkung über die Sprachkompetenz zitiert zu werden, die Charles C. Fries (1952) mit Bezug auf den Erwerb der Strukturen des Englischen machte:

The language of those that are not educated differs from that of those who have a formal education, not primarily in the matter of so-called errors or wrong forms, but in *the fullness of the use that is made of the resources of our language.*
(290 f.; meine Hervorhebung)

# 7. Ausblick: Textgrammatik

Mit den Einsichten in generell textbildende Textkonstituenten und Texteinheiten, die in Kap. 5 gewonnen und in Kap. 6 exemplarisch überprüft wurden, hat sich der Kreis unserer Untersuchung auf der Ebene des *Textes* geschlossen. In den vorhergehenden Kapiteln hatten wir gezeigt (Kap. 2–4), auf welchen rangtieferen Ebenen (*Textgruppen, Texttypen, Textformen, Textformvarianten* und *Kompositionsmuster*) im einzelnen Elemente der Textkonstitution und Regeln ihrer Verknüpfung zu erkennen sind, und wie sie klassifiziert werden können. Die wichtige Unterscheidung und Gruppierung von *Sequenzformen* einerseits und der Nachweis ihrer Abhängigkeit von den Teilaspekten der *Sprecherperspektive* und der *Sprachvarianten* andererseits lieferte dort bedeutende Kriterien für die Einordnung und Klassifizierung von Textkonstituenten.

Im Rückblick wird deutlich, in welch entscheidender Weise die Lösung dieser einordnenden und zuordnenden Aufgabe von der möglichen Klassifizierung allen konkreten Textvorkommens nach *Texttypen* und ihnen zugeordneten *Textformen* und *Textformvarianten* abhängt. Erst der Bezug auf die durch Texttypen und Textformen determinierten sprachlichen Ordnungsgefüge in konkreten Texten vermag zu erklären, nach welchen Regeln Sprecher in konkreten Kommunikationssituationen tatsächlich Texte produzieren, mit anderen Worten: durch welche Kategorien und Regeln sie sich in der Auswahl und Kombination von Textkonstituenten aus den einzelnen Subsystemen des Sprachsystems leiten lassen. Unser Versuch, ein texttypologisches Modell vorzustellen, zu begründen und abschließend exemplarisch zu überprüfen, hat damit zugleich zu grundlegenden Erkenntnissen im Bereich jener Regelsysteme geführt, die erklären, wie Sprache jenseits der Satzgrenze funktioniert.

In Analogie zur etablierten Terminologie für das finite Regelsystem, nach dem Sprecher Sätze produzieren, sprechen wir auch mit Bezug auf die für die *Textproduktion* geltenden Regelsysteme von einer *Grammatik*. Im Gegensatz zur begrenzten *Satzgrammatik* stellt sie eine diese einschließende und transzendierende *Textgrammatik* dar.[85] Das von uns entwickelte Modell einer *Texttypologie* ist in diesem Rahmen von weitreichender Bedeutung. Es sind einerseits jene

Kategorien erhellt worden, nach denen das textgrammatische Regelsystem im einzelnen weiter aufgeschlüsselt werden kann, andererseits ist deutlich geworden, in welchen umfassenderen Teilbereichen die konkrete Untersuchung von Texten unter textgrammatischer Fragestellung erfolgversprechend sein dürfte.

Aus der Sicht der Kommunikationssituation erscheinen zwei Typen von Textgrammatik als notwendig: eine *pragmatisch* orientierte und eine *systematisch* orientierte. Eine pragmatische Textgrammatik wird den Weg der Induktion gehen und aufzeigen müssen, in welcher Weise und Auswahl aus dem Regelinventar der Textkonstituenten konventionelle *Textformen* von Sprechern erstellt werden. Diese Textgrammatik wird also primär die konventionalisierten Techniken der Bezugnahmemittel in Texten und so die *Textproduktion* in Kommunikationssituationen erhellen und damit vorwiegend aus der pragmatischen Perspektive des *enkodierenden Sprechers* geschrieben sein.[86]

Die systematische Textgrammatik wird dagegen deduktiv aufgebaut sein. Sie wird das System der Kategorien und Regeln aufzeigen müssen, über die der ideale Sprecher/Hörer als *Textbildungskompetenz* verfügen muß. Diese systematische Textgrammatik wird also primär die Techniken bzw. Ergebnisse der *Textanalyse* anwenden und dazu den Text aus der Perspektive des *dekodierenden Hörers* darstellen.

Die genannten Typen von Textgrammatik werden damit in umfassender Weise sprecher- oder hörerbezogene Grammatiken sein: sie liefern die begrifflichen Zugriffe für die beiden *Rollen,* die der Mensch als enkodierender oder dekodierender Sprachteilnehmer in ständigem Wechsel in aktuellen Kommunikationssituationen einnimmt.

Im Rahmen dieser sich ergänzenden Typen von Textgrammatiken werden weitere Vorentscheidungen notwendig, die vor allem das für die textliche Äußerung gewählte *Kommunikationsmedium* betreffen. Alle textgrammatischen Regeln werden entscheidend dadurch modifiziert, ob das textliche Korpus sich aus Texten im *monologischen* oder *dialogischen Medium,* im *mündlichen* oder *schriftlichen Medium,* im nicht-sprachlichen *visuellen* oder *sprachlichen Medium* zusammensetzt. Entsprechend dem Grad weiterer Differenzierung in den jeweiligen Teilbereichen ist mit mehr oder weniger umfänglichen *Teilgram-*

*matiken* innerhalb der Textgrammatiken zu rechnen. Das wird insbesondere für Texte im mündlichen gegenüber dem schriftlichen Kommunikationsmedium gelten. Beide unterscheiden sich sehr weitgehend durch ihre Einbettung in die Kommunikationssituation und damit im Grad ihrer Kontextrelation. Vor allem für Texte im dialogischen mündlichen Medium wird die Textgrammatik in erhöhtem Maße *textexternen* Bedingungen der Texterstellung Rechnung tragen müssen. Man wird zum Beispiel mit *Ein-Wort-Texten* wie *Feuer!* rechnen müssen, die sich erst durch die Art ihrer Einbettung in eine nichtsprachliche Kommunikationssituation als kohärent und komplettiert erweisen können.

Auch für *fiktionale* gegenüber *nicht-fiktionalen Texten* ist mit umfänglichen Teilgrammatiken innerhalb der Textgrammatiken zu rechnen. Fiktionale Textformvarianten (*Sonette, Novellen, Romane* etc.) unterscheiden sich von nicht-fiktionalen Textformen und Textformvarianten (*Bericht, Kommentar, Beschreibung*), wie wir gezeigt haben, weniger durch Abweichungen von einer Norm [87] als durch die Präsenz *zusätzlicher* textlinguistischer Strategien der Texterstellung im Rahmen bestimmter *Kompositionsmuster* und *Konfigurationen* (Entwicklung einer Fabel, Reimbildung nach Strophenmodellen, expressive Textstrukturierung etc.).

Trotz der sowohl durch die Kommunikationsmedien wie durch die beiden großen Textgruppen geforderten Zerlegung der Textgrammatik in Teiltextgrammatiken kann von einer allen gemeinsamen Basis ausgegangen werden. Die generellen textbildenden und textformspezifischen Regeln für die Texterstellung, die für nicht-fiktionale Texte gelten, bilden auch die Grundlage für die Erstellung fiktionaler Texte. In der kontrastiven Verwendung textgrammatischer Verfahrensregeln, die für nicht-fiktionale Texte zur Norm geworden sind, liegt die reichste Quelle für die besonderen Wirkungen, die Sprecher mit fiktionalen Texten verfolgen.

Ein ähnliches Korrelationsverhältnis wie zwischen nicht-fiktionalen und fiktionalen Texten dürfte sich auch für die Unterschiede zwischen mündlicher und schriftlicher Kommunikation nachweisen lassen. Da die Texterstellung im schriftlichen Medium einen weit höheren Grad von expliziter Versprachlichung situativer Faktoren erfordert als Texterstellung in mündlicher Kommunikation,[88] können Strategien der Texterstellung am leichtesten in geschriebenen Texten analysiert werden. Die sprachlichen Techniken der Texterstellung, die sich in den verschiedenen Textformen und Textformvarianten schriftlicher Kommunikation aufzeigen lassen, können lehren, wie Botschaften am differenziertesten sowohl in längeren mündlichen wie schriftlichen Äußerungen vertextet werden.[89]

Soweit Texte im mündlichen Medium auf *sprachlichen* Konstituenten aufbauen, sind sie primär mit jenen Kategorien und Regeln zu erklären, die in Texten im schriftlichen Medium als für alle konkrete Textbildung relevant nachweisbar sind. Der Ausgangspunkt für alle *textgrammatischen* Detailanalysen und hierarchisierten Merkmalsgruppierungen dürfte darum nicht zuletzt aus Gründen einer leichteren Darstellbarkeit in einem Korpus *nicht-fiktionaler* Texte im *schriftlichen* Medium zu suchen sein. Soweit möglich, sollte kontrastiv dazu immer auch die entsprechende mündliche Textbildung beobachtet und untersucht werden.

# Anmerkungen

*0. Vorbemerkung: Textlinguistik*

1 Frühe Forderungen nach einer umfassenden Erforschung von Satzverknüpfungen kamen von Peter Hartmann (1964), Harald Weinrich (1964), W. O. Hendricks (1967), G. Nickel (1968) und H. Isenberg (1971). Die erste umfassende Untersuchung von Pronomen als Textkonstituenten stammt von Roland Harweg (1968a). Eine *Einführung in die Textlinguistik* legte Wolfgang Dressler (1972) vor.

2 Vgl. die umfassenden Einführungen in frühe linguistische Verfahren und Ergebnisse von H. A. Gleason (1955), Charles F. Hockett (1958), R. H. Robins (1964), Ronald W. Langacker (1967) und John Lyons (1969). In Deutschland wurde die Satzlinguistik etabliert durch Einführungen von Manfred Bierwisch (1966), Broder Carstensen (1966), G. Nickel (1968) und – für die Verwendung im Fremdsprachenunterricht – Werner Hüllen (1971).
Als Begründer der Satzlinguistik kann Leonard Bloomfield gelten (1933), der den Satz definierte als »an independent linguistic form, not included by virtue of any grammatical construction in any larger linguistic form« (170). Die einflußreichsten Forscher im Bereich der Satzlinguistik nach Bloomfield waren Zellig S. Harris (1951; 1962; 1963), Charles F. Hockett (1958; 1968) und Noam Chomsky (1957; 1965). Ein zusammenfassender Überblick über den Stand der Syntaxtheorie wurde Ende der 60er Jahre von den russischen Linguisten O. Akhmanova/G. Mikael'an (1969) vorgelegt.

3 Erste Impulse zu einer Überwindung der Satzgrenze gingen bereits von den Satzlinguisten selbst aus. H. A. Gleason bemerkt: »As an arbitrary working limit it [a sentence] is quite proper, as an absolute upper bound to the domain of linguistics it is certainly unjustified. In every language there are formal, structural features operating at a level higher than that of the sentence« (²1961, 220). Zellig S. Harris war der erste Satzlinguist, der seine Untersuchungen durch eine »discourse analysis« erweiterte, die er definierte als »method of seeking in any connected discrete linear material, whether language or language-like, which contains more than one elementary sentence, some global structure characterizing the whole discourse (the linear material), or large sections of it« (1963, 7). Erst durch Kenneth L. Pike (1954–60) jedoch wurde auch die Kommunikationssituation als eine Verhaltenseinheit (*behavioreme*), in der Sätze und Satzgruppen geäußert werden, in den Blick gerückt: »A sentence is first of all a unit which occurs in a slot in a higher-level structure – as part of a monologue, or as a total utterance, or as response in an utterance-response structure« (484). In Deutschland notierte Harald Weinrich (1964): »... die höchsten Einheiten sind nicht Sätze oder Perioden, son-

dern Sprechsituationen und Texte mit ihren literarischen Gattungsgesetzen. Mit ihnen fängt also die Grammatik an« (310).

[4] Vgl. die frühen linguistischen Analysen ›literarischer‹ Texte und Textkonstitution von A. A. Hill (1955), M. A. K. Halliday (1961), Samuel R. Levin (1962; 1965), Klaus Baumgärtner (1965), Manfred Bierwisch (1965), G. N. Leech (1965), W. A. Koch (1966; 1969), S. J. Schmidt (1968) und Rolf Kloepfer/Ursula Oomen (1970). Auch die ersten textlinguistischen Untersuchungen waren vornehmlich auf literarische Texte gerichtet (T. A. van Dijk, 1972; E. Gülich/W. Raible, 1974), vereinzelt wurden nicht-literarische Texte in den Blick gerückt (R. Harweg, 1968 c, mit einer Untersuchung zu *Rundfunknachrichten;* E. Gülich/W. Raible, 1974 a, mit einer Analyse des *Gerichtsurteils*).

[5] Vgl. etwa R. Wellek/A. Warren (1949), H. Seidler (1959) und W. Kayser ([16]1973). Noch Wolf-Dieter Stempel (1972) bezieht sich auf die von Goethe unterschiedenen »drei ›Naturformen‹ der Poesie« als »Universalien der Sprachverwendung« (175).

[6] Vgl. Horst Belke (1973), der mit einem alle Textvorkommen umfassenden Literaturbegriff von »literarischen Gebrauchsformen« spricht. Bernhard Sowinski (1973) grenzt genauer einen Bereich der »Prosatextsorten« aus (333 ff.). Vgl. ferner Barbara Sandig (1972).

[7] Vgl. auch Manfred Bierwischs frühe Vermutung, daß die Bildung und das Verständnis poetischer Strukturen wahrscheinlich den gleichen Regeln folgt wie die der primären linguistischen Strukturen (1966, 142). Aus literaturwissenschaftlicher Sicht betont später U. Suerbaum (1971), daß »die Gattungen im Grunde nicht anders konstituiert [sind] als nicht-literarische Arten von Texten« (107); aus textlinguistischer Sicht notiert T. A. van Dijk (1972, 1): ». . . an adequate study of literature is inconceivable without an explicit insight into the general properties of text structure as it is provided by T[ext]-grammars.«

[8] Vgl. in diesem Zusammenhang Peter Hartmanns programmatische Forderung: »Die Sprachwissenschaft ist bisher fast ausschließlich eine auf Sprachsysteme bezogene Wissenschaft gewesen; das hat sie von manchen Interessenten isoliert. Eine adäquatere Berücksichtigung der Sprachrealität, z. B. im Rahmen einer Textlinguistik, und damit eine interessantere Position dürfte nur einer sprachverwendungsorientierten Linguistik möglich sein« (1971, 28).

[9] Vgl. E. Werlich, *A Text Grammar of English,* (1976); Werlich (1975; 1979; Books 4–5 in Vorb.).

## *1. Text*

[10] Vgl. etwa die Definition Max Benses: »Der Begriff *Text* soll [. . .] alle sprachlichen Erzeugnisse überhaupt, insbesondere aber die der Literatur und Dichtung bezeichnen« (1969, 75).

[11] Peter Hartmann bezeichnet den Text als *»das originäre sprachliche Zei-*

*chen«*, dessen »Materialbasis aus verschiedenen *Zeichenträgermedien* genommen werden kann als Schall-, Schrift-, Gestenzeichen: der Charakter, ein Text zu sein und klassifizierbare Bestandteile zu enthalten, wird dadurch nicht angetastet« (1971, 11 f.). In ähnlicher Dehnung des Textbegriffs vermerkt S. J. Schmidt (1973), daß » ›Text‹ keine innerlinguistische Kategorie ist, daß dementsprechend eine Textdefinition von der Textualität als sozio-kommunikativer Struktur ausgehen muß« (154). Die zitierten Auffassungen sind der ursprünglich von C. S. Peirce formulierten Einsicht verwandt, daß beliebige Elemente als ›Zeichen‹ funktionieren können, sofern sie nur zuvor als Zeichen deklariert worden sind (nach Max Bense, 1967, 9 u. 77).

[12] Dies ist der verbreitete vorwissenschaftliche Begriff von ›Text‹, der seinen Niederschlag in Wörterbuchdefinitionen findet wie »the original written or printed words and form of a literary work«, »the main body of printed or written matter on a page« (vgl. *Websters Seventh New Collegiate Dictionary* s. v. *text*).

[13] Wir folgen hier J. C. Catfords nützlicher Unterscheidung zwischen einem *Kotext*, der die sprachliche Einbettung eines Lexems innerhalb eines Textes bezeichnet, und einem *Kontext*, der sich auf die nicht-sprachliche Einbettung in Situationen bezieht (1965, 31, F. 2). Die idealtypische *Kommunikationssituation* umfaßt *Sprecher* und *Hörer*, den *Text* und jenen *Kontext*, der *innerhalb* der gemeinsamen Sinneswahrnehmung von Sprecher und Hörer liegt. Eine ähnliche Differenzierung wie Catford nimmt bereits Karl Bühler (1934) vor, wenn er das »Symbolfeld« (Kotext) vom »Zeigfeld« (situativer Kontext) unterscheidet (79 ff.).

[14] Dieser Sachverhalt ist deutlicher geworden, seit die *Semiotik* (Charles Morris, 1946; Max Bense, 1967; 1973) und die *Informationstheorie* (C. E. Shannon/W. Weaver, 1949; N. Wiener, 1948; W. Meyer-Eppler, ²1969) den Blick auch des Linguisten dafür geschärft haben, daß Sprache als eines unter vielen Zeichensystemen aufgefaßt werden kann, das zur Übermittlung von Nachrichten/Botschaften zwischen Kommunikationspartnern verwandt wird. Vorbereitet wurde diese Auffassung durch den amerikanischen Philosophen C. S. Peirce (1839–1914), der das sprachliche Zeichen (»symbol«) als grundlegende Konstituente in einer triadischen Zeichensituation verstand: nämlich als *Zeichen*, das einem *Interpretanden* für ein *Objekt* steht; vgl. die systematische Zusammenfassung Peircescher Gedanken über die Zeichentheorie bei W. B. Gallie, 1952, 109 ff.

[15] Wir folgen hier der von Elisabeth Gülich/Wolfgang Raible (1974 a) erstellten Matrix zum Einbettungsverhältnis sprachlicher Formen von Kommunikation in nicht-sprachliche Formen des Handelns.

[16] Die Begriffe ›Sprecher‹ und ›Hörer‹ werden im folgenden stets (falls nicht anders vermerkt) als Rollenbezeichnungen für die Kommunikationspartner in der Kommunikationssituation verwandt, beziehen sich also gleichermaßen auf den tatsächlich Sprechenden oder Schreibenden und den tatsächlich Hörenden oder Lesenden.

[17] Für sprachliche Äußerungen wurde dieses Beziehungsverhältnis erstmals systematisch von Karl Bühler durch sein triadisches »Organonmodell der Sprache« erhellt (1934, 24 ff.). Die Elemente und Bedingungen des Kommunikationssystems sind einerseits im Rahmen einer allgemeineren *Kommunikationstheorie* weiter untersucht worden (Charles Morris, 1946; Colin Cherry, 1957; Siegfried Maser, 1971), andererseits in der jungen linguistischen Teildisziplin, die ihre Untersuchungen vornehmlich auf die *pragmatische* Dimension des sprachlichen Zeichensystems gerichtet hat (J. R. Searle, 1969; D. Wunderlich, 1971; H. Brekle, 1972, 40 ff. 99 ff.; T. A. van Dijk, 1972, 313 ff.).

[18] Vgl. hierzu vor allem S. J. Schmidt (1973): »Um einen Text zu verstehen, muß ein Kommunikationspartner also nicht nur die Textzeichenmenge kennen, sondern er muß auch die im Text aktivierte Handlungsgrammatik/Handlungssemantik kennen, die die Relevanz des Textes als Realisat eines strukturell präformierten Kommunikationstyps definiert« (149).

[19] Vgl. dazu u. a. D. Wunderlich (1971), H. Brekle (1972); W. Klein/D. Wunderlich (1972), Norbert Dittmar (1973) und Ulrich Ammon (1973).

[20] Vgl. Theodore Brun (1969, 16 f.).

[21] Vgl. John R. Searles (1969) grundlegende Darstellung über Illokutionsakte und performative Verben.

[22] Vgl. dazu die grundlegende Studie von David Crystal (1969).

[23] Zur Bedeutung des Phänomens der *Kohärenz* (auch: *semantische Kohäsion*) für die Textbeschreibung vgl. W. Dressler (1972, 19 ff.) und W. Kallmeyer *et al.* (1974, 57 ff. 210 ff.).

[24] Auf die Bedeutung der Kennzeichnung von Textanfängen und Textschlüssen haben vor allem Roland Harweg (1968b) und – für das gesprochene Französisch – Elisabeth Gülich (1970) aufmerksam gemacht.

## *2. Textgruppen*

[25] In einer Untersuchung zur geschriebenen Sprache kommt Josef Vachek (1973) zu einer ähnlichen Schlußfolgerung: »... the situations for which the use of the written norm appears specifically indicated have always something specialized about them, and very frequently such use serves higher cultural and/or civilizational purposes and functions (use in literature, research work, state administration, etc.)« (16).

[26] Eine detaillierte Interpretation der beiden Texte hat Verf. gegeben in *Text Analysis and Writing Practice* (1970 ff., Nr. 42 und Nr. 58).

[27] Begründungen für die erläuterte Einteilung des Textvorkommens haben vor allem W. Iser (1970) und S. J. Schmidt (1972) vorgetragen. In Isers Terminologie werden nicht-fiktionale Texte allerdings als »expositorische Texte« bezeichnet (»Texte als Exposition des Gegenstandes«, 10), fiktionale Texte in Opposition dazu als Texte »als Hervorbringung des Gegenstandes«. Iser verwischt jedoch die sinnvolle Unterscheidung dadurch, daß er unter die gegenstandshervorbringenden Texte auch alle jene Texte einord-

net, die Anweisungen enthalten (»alle Texte, die Forderungen stellen, Ziele angeben oder Zwecke formulieren«, 10). Konkrete instruktive Texte wie *Vorschriften, Anweisungen, Regeln* und *Gesetze* sind normalerweise nichtfiktionale Texte (am Arbeitsplatz, als Spielregeln, Bedienungsanleitungen, Gesetzestexte etc.). Ähnlich wie der von uns eingeführte Begriff *Instruktion* ist auch der Begriff *Exposition* im Rahmen einer differenzierteren Texttypologie anders besetzt (vgl. auch Kap. 3.3).

[28] Zum Faktor des *Vorwissens* bzw. der *Präsuppositionen* als Elemente eines umfassenden *Wirklichkeitsmodells* der Sprecher/Hörer vgl. W. Dressler (1972, 98 ff.), S. J. Schmidt (1973, 92 ff.) und W. Kallmeyer *et al.* (1974, 142 und 192). S. J. Schmidt vermerkt zum Zusammenhang der genannten Begriffe, daß »die in einem Kommunikationsakt implizit gemachten Präsuppositionen [. . .] zugleich das für wahr gehaltene (bzw. für ein kommunikatives Handlungsspiel als verbindlich akzeptierte) Wirklichkeitsmodell« definieren (1972, 102).

## *3. Texttypen*

[29] Zur Definition von *Referenz* vgl. W. Kallmeyer *et al.* (1974, 50 ff.).

[30] Vgl. W. Kallmeyer *et al.* (1974, 143 ff.).

[31] Der Begriff *Sequenzsignal* für rückverweisende Elemente in Texten wurde erstmals von C. C. Fries eingeführt in Verbindung mit Unterschieden, die er zwischen eröffnenden und weiterführenden Sätzen in mündlichen Äußerungen (Telephongesprächen) entdeckte. Fries notiert, daß »the ›sequence‹ sentences contained certain signals that tied them to the preceding utterances. The forms that thus tie following sentences in the same utterance unit to the sentences that precede them I have called ›sequence‹ signals« (1952, 241). Wir übernehmen den Begriff, ergänzen ihn jedoch, indem wir ihn abgrenzen von (Sequenz)*Initiatoren* und (Sequenz)*Terminatoren.*

[32] Auf Grund eines generativistischen Ansatzes spricht auch W. Dressler von einer abgeschlossenen semantischen Textbasis, die die Summe aller Bedeutungsinhalte eines Textes enthält, von der sich also der aktuelle Text in seiner syntaktischen und phonetischen Form ableiten läßt (1972, 13, 17 ff.). Dressler vermerkt, daß noch kaum untersucht sei, wie »ein Basis-Satz, der ein Textthema repräsentieren soll, auszusehen hat, z. B. welche Satzglieder er explizit oder implizit enthalten soll« (19).

[32a] Vgl. hierzu auch Ewald Lang (1973), der am Beispiel der Interpretation koordinierter Sätze erläutert (302), wie ein ›Text‹ als Integrationsergebnis von Satzbedeutungen verstanden werden kann: »die Kohärenz eines ›Textes‹ [wird] bestimmt durch die Integration von Satzbedeutungen zu übergreifenden Einheiten« (301). Lang bezeichnet solche steuernden Einheiten als »semantische Superstruktur« bzw. »gemeinsame Einordnungsinstanz«, die deduziert werden oder in einem »Kontextsatz« manifestiert sein kann. Langs Ausführungen lassen sich auf den *thematischen* Aspekt des von uns zur Textbasis Gesagten übertragen.

[33] Die linguistische Grammatik des Englischen von R. Quirk, S. Greenbaum, G. Leech und J. Svartvik (1972) unterscheidet auf Grund formaler Kriterien des Verbs sieben grundlegende Satztypen (343).

[34] W. Dressler äußert bereits die Vermutung, daß die Frage, wie ein »Basis-Satz«, der ein Textthema repräsentieren soll, auszusehen hat, vielleicht nach »Textsorten« verschieden zu beantworten sein könnte.

[35] Die Terminologie für die mögliche Gruppierung von Texten ist noch uneinheitlich. Peter Hartmanns Versuch (1964), Ordnung zu stiften durch die Unterscheidung von »Textklassen« und »Textsorten«, hat bisher nur bezüglich des Begriffs ›Textsorte‹ in der Textlinguistik weitergewirkt (vgl. etwa Elisabeth Gülich/Wolfgang Raible, 1972).

[36] Es ist anzumerken, daß dies eine ganz spezifische Leistung des Imperfekts als dem dominanten Tempus der Vergangenheitsgruppe ist (Plusquamperfekt, Konditional I, Konditional II). Harald Weinrich (1964, [2]1971) hat es darum als ein Tempus charakterisiert, das für die »erzählte Welt« gewählt wird.

[37] Was die nähere Bezeichnung dieser Texttypen angeht, so könnte man neutrale Bezeichnungen wie Texttyp I, II, III usw. einführen. Wir wählen stattdessen Bezeichnungen, die in der Rhetorik und zum Teil in der Literaturwissenschaft bereits verwandt werden. Die Bezeichnungen, die wir zur Kennzeichnung der ersten vier Texttypen verwenden, stammen aus der traditionellen Rhetorik (vgl. etwa H. Lausberg, 1960, Thomas S. Kane/Leonard J. Peters, [2]1964). Der fünfte Texttyp, für den wir die Bezeichnung ›Instruktion‹ einführen, ist traditionell durch Wendungen wie ›appellative Texte‹, ›hortatorische Prosa‹ oder ›didaktische Prosa‹ annähernd erfaßt worden.

[38] Verbreitet ist heute wieder die Klassifikation von Texten nach den *Hauptfunktionen* von Sprache in der Kommunikation, wie sie ursprünglich Karl Bühler (1934) vorgetragen hat. Im Rahmen seines triadischen Organonmodells definierte Bühler die Funktionen der Sprache in der Kommunikation als »Ausdruck«, »Appell« und »Darstellung« (28). Durch »Ausdruck« werden alle jene Texte erfaßt, die sich auf den Sprecher, d. i. den Ausdruck seiner Einstellung gegenüber dem Thema beziehen; durch »Appell« jene, die – wie der Vokativ und der Imperativ – an den Hörer gerichtet sind; und durch »Darstellung« jene, die sich auf ein Drittes, d. h. auf den Sprecher und Hörer umgebenden sprachlichen und nicht-sprachlichen Kontext beziehen. Dieses triadische Modell Bühlers wurde von Roman Jakobson aufgegriffen und um weitere drei Funktionen (die *phatische, metalinguale* und *poetische*) auf insgesamt 6 Sprachfunktionen erweitert (1960, 354 ff.). Im Rahmen unserer Typologie werden die Funktionen ›Ausdruck‹ und ›Darstellung‹ durch die Präsentationsweisen *subjektiv* und *objektiv* erklärt. Die Funktion ›Appell‹ wird durch den Texttyp *Instruktion* im Feld der Texttypen abgedeckt.

[39] Der hier verfolgte Ansatz unterscheidet sich von generativistischen Ansätzen in der textgrammatischen Forschung, die Textkohärenz durch die

Suche nach der einen Tiefen- bzw. ›Makrostruktur‹ für alle Texte zu erklären suchen (vgl. insbesondere T. A. van Dijk, 1972; ferner S. J. Schmidt, 1973). Wir versuchen demgegenüber, Textkohärenz und Textkompletion über Faktoren der Textoberfläche zu bestimmen und setzen damit ähnliche Ansätze von W. O. Hendricks (1967), G. Nickel (1968), R. Harweg (1968 a), W. Dressler (1972) und E. Gülich/W. Raible (1974 a, 1974) fort.

40 Diese Hypothese modifiziert die Sicht der *Sprachinhaltsforschung*, daß es primär die Sprache als System sei, die die Weltsicht des Menschen determiniere oder gar erzeuge. Dies ist eine Sicht, die auf Johann Gottfried Herder (1772) und Wilhelm von Humboldt (1820) zurückgeht und durch Forscher wie E. Sapir (1921), B. L. Whorf (1956) und L. Weisgerber ([3]1962) aufgenommen und erweitert wurde. In einer Überprüfung der »Sapir-Whorf Hypothese« hat Helmut Gipper (1972) erneut die Grundauffassung dieser Richtung bestätigt, daß das Sprachsystem menschliches Denken primär konditioniere: »Das Denken jedes Menschen ist insofern ›relativ‹ zu den Ausdrucksmöglichkeiten der verfügbaren Sprachsysteme und ihrer semantischen Strukturen, als es nur Gestalt gewinnen kann, indem es sich diesen gegebenen Bedingungen fügt« (248). Aus der Sicht der dominanten texttypischen Textstrukturierungen reicht das Sprachsystem allein jedoch nicht aus, um sowohl die strukturelle Invarianz als auch die offensichtlich universelle Verbreitung dieser Strukturen zu erklären.

41 Auch aus der Sicht generativistischer Grammatikmodelle ist als Basis aller Satzerzeugung von einer begrenzten Zahl sehr einfacher Grundstrukturen auszugehen. In einem Anhang zu E. H. Lenneberg (1967) hebt Noam Chomsky hervor, daß »too much latitude for the construction of grammars« sich verbiete und daß »the kinds of languages that can be acquired by humans in the normal way are actually of a much more limited sort«, als die gegenwärtige Theorie einer Universalgrammatik erkennen ließe (438).

42 Wir vermeiden den Begriff *Textsorte*, weil er beim gegenwärtigen Stand der literaturwissenschaftlichen und textlinguistischen Diskussion mit sehr unterschiedlicher Referenz verwandt wird (U. Suerbaum, 1971, unterscheidet zwischen den *Textsorten* der Normalsprache und den *Gattungen* der Literatur) und – wie Klaus W. Hempfer zu Recht herausstellt (1973, 18) – noch keine terminologische Differenzierung verschiedener Abstraktionsstufen erlaubt. E. Gülich/W. Raible (1974 a) unterscheiden zwei Stufen: die »Textsortenklasse« (Beispiel: ›Erzählung‹) und die »Textsorte« (Beispiel: ›Novelle‹).

## *4. Textform*

43 Die hier vorgetragene Unterscheidung zwischen einer Ebene der *Texttypen* und einer Ebene der *Textformen* deckt sich mit den vor allem in den Naturwissenschaften gewonnenen Einsichten in *type-token* Hierarchien.

Lenneberg notiert: »Taxonomies suggest themselves for virtually all aspects of life. Formally, these taxonomies are always type-token hierarchies, and on every level of the hierarchy we may discern differences among tokens and, at the same time, there are commonalities that assign the tokens logically to a type« (1967, 371). Auch in der *Literaturwissenschaft* finden sich in der Diskussion des Gattungsproblems verwandte Ansätze zu der von uns vertretenen Unterscheidung. Eberhard Lämmert (1955) vermerkt zum Beispiel zu dem Unterschied zwischen Gattungen und Typen: »Gattungen [Textformen] sind für uns historische Leitbegriffe, Typen [Texttypen] sind ahistorische Konstanten« (16). Neuerdings hat Klaus W. Hempfer (1973) – nach einer umfassenden Information zu Geschichte und Ergebnissen der *Gattungstheorie* – einige den Diskussionsstand zusammenfassende Thesen aufgestellt, die in wichtigen Bereichen (vgl. These 9 bis 11, a. a. O., S. 224 ff.) durch unsere Überlegungen zur Grundlage der Texttypologie gestützt werden. Mit Bezug auf *Gattungen* tritt Hempfer dafür ein, »zwischen einer historisch variablen und einer absolut oder relativ konstanten Komponente der ›kommunikativen Kompetenz‹« zu unterscheiden; in dieser kommunikativen Kompetenz sei von »generischen Invarianten« auszugehen.

In der traditionellen Literaturwissenschaft verbirgt sich der Begriff ›Textform‹ für Teilbereiche seiner Bedeutung hinter Begriffen wie ›Form‹ (André Jolles, 1930; Horst Belke, 1973) und ›Genre‹ bzw. ›Gattung‹. Wenn nicht in Relation zu einem Typus gesetzt, können Textformen (»Textsorten«) jedoch nur rein additiv als »bestimmte historisch-normhafte Kompatibilitätsfiguren von Textkomponenten« bestimmt werden (Wolf-Dieter Stempel, 1972, 178).

[44] Im Sinne des oben erwähnten triadischen Organonmodells der Sprachfunktionen, das Karl Bühler erläutert hat (1934), erfüllt diese Präsentationsart annähernd die Funktion des »Ausdrucks« der Sprechereinstellungen.

[45] Im Bühlerschen Organonmodell entspricht diese Präsentationsweise annähernd der Funktion der »Darstellung«. Zu unserer Auffassung, daß objektive Präsentation auf Sätzen beruht, deren Wahrheitsgehalt intersubjektiv überprüfbar ist, vgl. Karl R. Popper ([3]1969, 18 f.). Popper zitiert Kants Definition von ›objektiv‹ als seiner eigenen verwandt: »Wenn es [das Fürwahrhalten] für jedermann gültig ist, sofern er nur Vernunft hat, so ist der Grund desselben objektiv hinreichend« (*Kritik der reinen Vernunft*, [2]1787, 848). Nach Popper beruht subjektive Präsentation auf der individuellen Erfahrung verschiedener Grade von Überzeugung.

[46] Zu Raffungsarten und Erzählweisen vgl. E. Lämmert (1955, 82 ff.).

[47] Zu der wichtigen Unterscheidung zwischen verschiedenen Ebenen der Kommunikation und den zugeordneten »Gliederungsmerkmalen« vgl. Elisabeth Gülich/Wolfgang Raible (1974, 81 ff.).

[48] Zu Tempusgruppen und ihrer Relevanz in Texten vgl. die grundlegende Untersuchung von Harald Weinrich (1964). Nach Weinrichs Deutung allerdings sind Tempora nicht in Relation zur Zeit zu verstehen.

[49] Vgl. hierzu auch die Beobachtung von Martin Joos (²1968) zum zeitlichen Aspekt (*temporary aspect,* d. i. *the continuous tense*): »... it [i.e. temporary aspect] signifies something about the validity of the predication, and specifically it says that the probability of its validity diminishes smoothly from a maximum of perfect validity, both ways into the past and the future towards perfect irrelevance or falsity« (108).

[50] Martin Joos geht von dieser Beobachtung aus, wenn er das englische Passiv als »a word-order device« definiert: »It is marked by BE-N to show that its subject is not the actor« (²1968, 96).

[51] Zu Versuchen, »varieties of English and classes of varieties« zu bestimmen, vgl. David Crystal/Derek Davy (1969) und R. Quirk *et al.* (1972, 13–22).

[52] Vgl. etwa die Einführung in englische Dialekte von Martyn F. Wakelin (1972) und D. Bähr (1973).

[53] Vgl. E. Werlich, *A Text Grammar of English*, (1976), Werlich (1975).

[54] Einführungen in linguistische Stiluntersuchungen stammen von Michael Riffaterre (1959; 1960), Seymour Chatman (1966), Werner Winter (1967), N. E. Enkvist (1964; insbesondere 1973), Broder Carstensen (1970) und W. Sanders (1973). Praktische Stilanalysen haben G. N. Leech (1966; 1969) und David Crystal/Derek Davy (1969) vorgelegt. Eine interessante Ablehnung des Begriffs ›Stil‹ gibt B. Gray (1969). Gray bezeichnet Stil als eine Größe, »whose existence can be neither empirically established nor logically deduced«.

[55] Vgl. auch R. Quirk *et al.* (1972): »... however esoteric or remote a variety may be, it has running through it a set of grammatical and other characteristics that are present in all others. It is presumably this fact that justifies the application of the name ›English‹ to all the varieties« (14). Quirk *et al.* sprechen in diesem Zusammenhang auch von einem »normal and neutral English« (24).

[56] Über die Bedeutung der Begriffe ›Norm‹ und ›Abweichung‹ in linguistischen Stiluntersuchungen vgl. u. a. N. E. Enkvist (1964, 24 f.), Samuel R. Levin (1965) und G. N. Leech (1969).

[57] Zum Phänomen der *Metapher* vgl. jetzt zusammenfassend W. Kallmeyer *et al.* (1974, 161 ff.).

[58] Über die Regeln, die *mündlicher Kommunikation* zugrundeliegen, vgl. im einzelnen die Untersuchung von Tonbandaufzeichnungen deutscher Texte, die Barbara Wackernagel-Jolles (1971) vorgelegt hat. Eine aufschlußreiche Analyse informeller englischer Konversation enthält David Crystal/Derek Davy (1969, 95–124).

[59] Vgl. dazu im einzelnen die Interpretation von Verf. in *Text Analysis and Writing Practice* (1970 ff., Nr. 51).

## *5. Text*

[60] Vgl. John Press (1969, 30 ff.).

[61] Vgl. Anthony Thwaite und Geoffrey Bownas in der Einleitung zu *The*

*Penguin Book of Japanese Verse* (Harmondsworth 1964, XXXVII–LXXIII).

[62] Vgl. Werlich (1967, 13 und 106–115).

[63] Ibid., 13.

[64] Ibid., 12 f.

[65] Ibid., 63 ff., 161 ff., 223 ff.

[66] Bereits in frühen linguistischen Analysen war das Phämomen generell geltender Regularitäten in der Satzverknüpfung mit Begriffen wie *Substitution* und *abhängige Substitute* mit *Antezedenten* in den Blick gekommen (vgl. L. Bloomfield, 1933, 247 ff.). Als grundlegender textlicher Aspekt ist *Substitution* durch eine Studie von R. Harweg (1968a) in die textlinguistische Diskussion eingeführt worden (18 ff.). In (1968b) bezeichnet Harweg die Unterscheidung zwischen eröffnenden *Substituenda* und auf paradigmatischer und syntagmatischer Ebene fortsetzenden *Substituentia* als die grundlegendste aller textologischen Unterscheidungen. Neuerdings ist die Untersuchung dieses wichtigen Aspektes der Textkonstitution unter dem Stichwort ›Verweisung‹ weiter präzisiert worden; vgl. W. Kallmeyer *et al.* (1974, 177 ff.) mit der Unterscheidung zwischen »Bezugselementen« (d. i. Initiatoren) und »Verweisformen« (d. i. Sequenzsignalen).

[67] Die wichtige Forderung, durch eine möglichst vollständige Erfassung von »textinhärenten Strukturen« Texte zugleich auf ihre »textbildenden« und ihre »textformenden Konstituenten« hin zu untersuchen, stellte Peter Hartmann bereits zu einer Zeit, als die Textlinguistik noch in den Anfängen steckte (1964, 20).

[68] Zur Definition und Bestimmung von *Funktionswörtern* vgl. Charles C. Fries (1952, 88 ff.).

[69] Eine ähnliche Unterscheidung treffen jetzt W. Kallmeyer *et al.*, indem sie von »nicht-referentiellen« und »referentiellen Verweisformen« sprechen (1974, 230 ff.). Die Unterscheidung zwischen Funktions- und Inhaltswörtern wird bei C. C. Fries (1952, 87 ff.) begründet.

[70] *Kataphora* und, wie noch zu zeigen ist, *Anaphora* (als Rückverweis) sind Termini der klassischen Rhetorik, die früh Eingang in die Linguistik gefunden haben (vgl. L. Bloomfield, 1933, 251; C. F. Hockett, 1958, 254; R. H. Robins, 1964, 190; Peter Hartmann, 1964, 19). Inzwischen ist ihre Bedeutung für die Textlinguistik voll erkannt worden (vgl. W. Dressler, 1972, 22 ff.; R. Quirk *et al.*, 1972, 700 ff.).

[71] Zur Ko-referenzproblematik vgl. W. Dressler (1972, 22 ff.) und W. Kallmeyer *et al.* (1974, 177 ff.).

[72] Zum Begriff vgl. W. Kallmeyer *et al.* (1974, 199).

[73] Vgl. zum Beispiel T. A. van Dijk (1972, 94 ff.). Es ist anzumerken, daß nicht alle semantischen Verknüpfungsrelationen mit den genannten Begriffen erklärt werden können, ohne daß zugleich auf Phänomene wie *Präsupposition, implizite Referenz* etc. rekurriert wird, Phänomene also, die eine Kenntnis der Struktur der Objektwelt berücksichtigen. W. Kallmeyer *et al.* zitieren folgendes Beispiel für eine Verknüpfung mit impliziter Referenz:

»Gestern habe ich mir *ein Auto* gekauft. Heute schon funktionieren *die Bremsen* nicht mehr« (1974, 232 ff.).

[74] Zur im folgenden verwandten Terminologie vgl. die Arbeiten der europäischen strukturellen Semantik: A.-J. Greimas (1966), B. Pottier (1967) und E. Coseriu (1968); eine Synopse enthält H. Geckeler (1971).

[75] Vgl. zu den Begriffen das *Funk-Kolleg Sprache*, II, 44 f. Zum Phänomen der *Hyponymie* vgl. John Lyons (1969, 453 ff.).

[76] Peter Hartmann (1971) definiert ›Text‹ daher so weit, daß das gesamte Spektrum linguistischer Einheiten in den Blick kommt: »Die Einheiten, vielleicht auch: die konkomitanten Erscheinungen (Vorkommen) eines wie auch immer verlaufenden Sprechens können zwar von sehr unterschiedlicher Ausdehnung oder Zeitdauer sein, reichen aber in der Mehrzahl aller Fälle über die linguistisch üblicherweise angesetzten Einheiten wie Laut (Phonemrealisation), Wort (Lexemrealisation), Satz (Syntagmenrealisation) und Satzgruppen in dem Sinn hinaus, daß sie dergleichen als ihre Bestandteile *enthalten*« (10).

[77] Eine Interpretation des Textes hat Verf. gegeben in *Text Analysis and Writing Practice* (1970 ff., Nr. 21).

[78] W. Dressler macht mit Recht darauf aufmerksam, daß Ein-Satz-Texte nur textuell unabhängig, kontextuell jedoch – wie auch alle Mehr-Satz-Texte – abhängig sind (1972, 11).

[79] Eine frühe Definition der Begriffe bietet Karl Boosts Monographie (1956). Das Begriffspaar entspricht der Unterscheidung zwischen *topic* und *comment* in der anglo-amerikanischen Linguistik, die zum Teil auch in der europäischen Linguistik Nachfolge gefunden hat; vgl. C. F. Hockett (1958, 201 f.); N. Chomsky (1965, 221); Ö. Dahl (1969); F. Daneš (1970); W. A. Koch (1971, 159 ff., wo die Begriffe in leicht abgewandelter Bedeutung verwandt werden); J. S. Petöfi (1971, 200 ff.) und T. A. van Dijk (1972, 109 ff.).

[80] Boost notiert: »Das als Thema verwendete Satzglied ist eine ›Gegebenheit‹, eine eindeutig auch dem Hörer bekannte Erscheinung. Mit dem Setzen des Themas wird eine Spannung erzeugt, die im Verlauf des Satzes am Ende gelöst wird« (1956, 30).

[81] Damit bestätigt sich die oben zitierte (vgl. F. 76) weite Textdefinition Peter Hartmanns, daß die von Texten realisierten Einheiten in der Mehrzahl aller Fälle über die linguistisch üblicherweise angesetzten syntaktischen Einheiten hinausreichen (1971, 10).

[82] Die hier mit *Texteinheit* abgegrenzten textinternen Erscheinungen sind zu unterscheiden von sogenannten ›Teiltexten‹, die in den Überlegungen zur Textgliederung analysiert worden sind, die Elisabeth Gülich/Wolfgang Raible (1974) vorgelegt haben. Nach diesem Ansatz sind Teiltexte thematisch und formal abgrenzbare Einheiten textsortenspezifischer Makrostrukturen, die durch Signale verschiedener Hierarchiestufen in Texten markiert sind (74 ff.). Die Hierarchie der Gliederungsmerkmale wird nach Gülich/Raible angeführt von metakommunikativen Sätzen (›A sagte zu B‹), die

jeweils den Beginn, gelegentlich auch das Ende eines Kommunikationsaktes – insbesondere auf der zweiten Ebene der Kommunikation (eingebettete Kommunikationsakte) – anzeigen. Ihnen folgen Substitution auf Metaebene (z. B. ›die Erzählung‹) und in »Texten, deren Denotatum sich im Bereich des Ablaufs der (realen oder fiktiven) Zeit befindet« (90), Merkmale, welche auf tieferen Hierarchiestufen die Zeitbefindlichkeit, Ortsbefindlichkeit und eine Veränderung in der Konstellation der Handlungsträger anzeigen (86 f.). Diese Merkmale gelten gegenüber den beiden erstgenannten als »spezifisch für eine Klasse von Textsorten« (91).
Der von Gülich/Raible vorgetragene Ansatz ist gut geeignet, in bestimmten Textformen und Textformvarianten (*Fabel, Novelle*) die nach festen Konventionen besetzten *Kompositionsleerstellen* für Teiltexte verschiedener Länge zu erfassen, die in einem bestimmten hierarchischen Beziehungsverhältnis zueinander stehen. Dieser Ansatz muß u. E. ergänzt werden durch Aussagen über die generell textbildenden *Texteinheiten* (Satz, Paragraph, Sektion etc.), in denen sich auch die textformspezifischen ›Teiltexte‹ manifestieren müssen. Die Analyse von Kompositionsleerstellen mit erwartbaren Teiltexten gewinnt ihre volle Bedeutung erst auf der Ebene von *Textformvarianten* (Gülich/Raible: »Textsorten«) mit konventionell festgelegten *Kompositionsmustern* (vgl. oben Kap. 4.4), und zwar sowohl für die *tradierten* Kompositionsmuster in fiktionalen Texten (vgl. den Rahmen und die Binnenerzählung in *Novellen,* die Moral am Ende von *Fabeln*) als auch für die *gesetzten* kanonischen Kompositionsmuster in nicht-fiktionalen Texten (vgl. zum Beispiel Gülich/Raible, 1974 a, zum *Gerichtsurteil*).

[83] Vgl. dazu die entsprechenden Kapitel in Werlich (1975) und *A Text Grammar of English* (1976). Zu einer Analyse und Klassifizierung der *Paragraphen-, Sektions-* und *Kapitelstruktur* westgermanischer, insbesondere altenglischer Dichtungen auf literaturwissenschaftlicher Grundlage vgl. E. Werlich (1964, 89–185).

## 6. *Textanalyse zur Überprüfung des texttypologischen Modells*

[84] Roland Harweg (1972) vermerkt treffend, »daß auch den besten Stilisten nur ganz selten ein Text gelingt, der textgrammatisch gesehen vollkommen richtig wäre« (75 f.).

## 7. *Ausblick: Textgrammatik*

[85] Vgl. auch T. A. van Dijk: »One task of an adequate T-grammar [...] consists in formulating the conditions determining the combination of sentences in a well-formed sequence« (1972, 15).

[86] Diese Textgrammatik wird demnach jene Regeln aufführen, die für das Zustandekommen eines textgrammatisch richtigen Satzes notwendig sind, und »nach deren Formulierung man in den Grammatiken«, wie R. Harweg (1972) anmerkt, »vergeblich sucht, sind doch die meisten dieser Regeln bis

heute völlig unbekannt oder zumindest nicht so bekannt, daß sie eine grammatikalische und das heißt: eine allgemeingültige Formulierung erlaubten« (75).

[87] Eine beherrschende Rolle in der Analyse ›poetischer Strukturen‹ hat vielfach der Begriff ›Erstellung eines Vordergrundes‹ (*foregrounding*) gewonnen, den die Prager Schule eingeführt hat und der von Jan Mukařovský (1940) definiert worden ist als »the esthetically intentional distortion of the linguistic components of the work, in other words, the intentional violation of the norm of the standard« (vgl. Paul L. Garvin, 1964, 18). Zu den Arten von Textstrukturierung in fiktionalen Texten vgl. S. R. Levin (1962, 1965), G. N. Leech (1965, 1969), W. A. Koch (1966; 1972), E. Werlich (1967), R. Jakobson (1970), R. Kloepfer/U. Oomen (1970), J. M. Lotman (1972), T. A. van Dijk (1972) und U. Oomen (1973).

[88] A. E. Darbyshire (1971) notiert als generell gültige Regel: »... we can lay it down as a sort of law that the more a language-use is separated from the immediate situation that calls it forth the greater does its amount and intensity become, since the extra-linguistic signs in the situation, being progressively more remote, need to be specified in the language« (38). In der linguistischen Analyse einer auf Band aufgezeichneten informellen Konversation verzeichnen D. Crystal/D. Davy (1969) folgendes allgemeine Ergebnis: »Semantically, the most important feature of this variety is the randomness of the subject matter, the lack of an overall contrived pattern, the absence of any conscious planning as conversation proceeds« (115).

[89] Aus textgrammatischer Sicht verschiebt sich damit der primäre Ansatz, der von vielen Satzlinguisten im mündlichen Kommunikationsmedium gewählt wurde. Vgl. etwa C. C. Fries, der als neues Ziel der Satzlinguistik formulierte: »to discover and describe the significant features of ›sentences‹ as they occur in *the records of actual conversation«* (1952, 23; meine Hervorhebung).

# Literaturverzeichnis


Akhmanova, Olga, und Galina Mikael'an
1969 *The Theory of Syntax in Modern Linguistics.* The Hague-Paris.
Ammon, Ulrich
1973 *Probleme der Soziolinguistik.* Tübingen.
Bähr, Dieter
1974 *Standard English und seine geographische Varianten.* München.
Baumgärtner, Klaus
1965 »Formale Erklärung poetischer Texte«, in H. Kreuzer und R. Gunzenhäuser, 67–84.
Belke, Horst
1973 *Literarische Gebrauchsformen.* Düsseldorf.
Bense, Max
1962 *Theorie der Texte.* Köln.
1967 *Semiotik. Allgemeine Theorie der Zeichen.* Baden-Baden.
1969 *Einführung in die informationstheoretische Ästhetik. Grundlegung und Anwendung der Texttheorie.* Hamburg.
Bierwisch, Manfred
1965 »Poetik und Linguistik«, in H. Kreuzer und R. Gunzenhäuser, 49–65.
1966 »Strukturalismus. Geschichte, Probleme und Methoden«, *Kursbuch,* 5, 77–152.
Bloomfield, Leonard
1933 *Language.* New York.
Boost, Karl
1956 *Neue Untersuchungen zum Wesen und zur Struktur des deutschen Satzes. Der Satz als Spannungsfeld.* Veröffentlichungen des Instituts für deutsche Sprache und Literatur, Lieferung 4. Berlin 1957.
Brekle, Herbert E.
1972 *Semantik. Eine Einführung in die sprachwissenschaftliche Bedeutungslehre.* München.
Brun, Theodore
1969 *The International Dictionary of Sign Language. A Study of Human Behaviour.* London.
Bühler, Karl
1934 *Sprachtheorie. Die Darstellungsfunktion der Sprache.* Jena.
Carstensen, Broder
1966 *Die »neue« Grammatik und ihre praktische Anwendung im Englischen.* Frankfurt.
1970 »Stil und Norm. Zur Situation der linguistischen Stilistik«, *Zs. f. Dialektologie und Linguistik,* 37, 257–279.
Catford, J. C.
1965 *A Linguistic Theory of Translation. An Essay in Applied Linguistics.* London.

Chatman, Seymour
1966 »On the Theory of Literary Style«, *Linguistics*, 27, 13–25.
Cherry, Colin
1957 *On Human Communication. A Review, a Survey, and a Criticism.* Cambridge (Mass) ²1966.
Chomsky, Noam
1957 *Syntactic Structures.* The Hague-Paris.
1965 *Aspects of the Theory of Syntax.* Cambridge (Mass).
1967 »The Formal Nature of Language«, in E. H. Lenneberg, 397–442.
Coseriu, Eugenio
1968 »Les structures lexématiques«, in W. Theodor Elwert (Hg.), *Probleme der Semantik*, Wiesbaden 1968, 3–16.
Crystal, David
1969 *Prosodic Systems and Intonation in English.* Cambridge.
Crystal, David, und Derek Davy
1969 *Investigating English Style.* London.

Dahl, Östen
1969 *Topic and Comment. A Study in Russian and General Transformational Grammar.* Göteborg–Stockholm.
Daneš, František
1970 »Zur linguistischen Analyse der Textstruktur«, *Folia Linguistica*, 4, 72–79.
Darbyshire, A. E.
1971 *A Grammar of Style.* London.
van Dijk, Teun A.
1972 *Some Aspects of Text Grammars. A Study in Theoretical Linguistics and Poetics.* The Hague-Paris.
Dittmar, Norbert
1973 *Soziolinguistik. Exemplarische und kritische Darstellung ihrer Theorie, Empirie und Anwendung.* Frankfurt.
Dressler, Wolfgang
1972 *Einführung in die Textlinguistik.* Tübingen.

Enkvist, Nils Erik
1973 *Linguistic Stylistics.* The Hague-Paris.
Enkvist, Nils Erik, John Spencer und Michael Gregory
1964 *Linguistics and Style.* London.

Fries, Charles C.
1952 *The Structure of English. An Introduction to the Construction of English Sentences.* New York.
*Funk-Kolleg Sprache. Eine Einführung in die moderne Linguistik.*
1973 2 Bde. Frankfurt.

Gallie, W. B.
1952 *Peirce and Pragmatism.* Harmondsworth.

Garvin, Paul L. (Hg.)
1964 *A Prague School Reader on Esthetics, Literary Structure, and Style.* Washington.

Geckeler, Horst
1971 *Strukturelle Semantik und Wortfeldtheorie.* München.

Gipper, Helmut
1972 *Gibt es ein sprachliches Relativitätsprinzip? Untersuchungen zur Sapir-Whorf-Hypothese.* Frankfurt.

Gleason, H. A.
1955 *An Introduction to Descriptive Linguistics.* New York [2]1961.

Gray, Bennison
1969 *Style. The Problem and Its Solution.* The Hague-Paris.

Greenbaum, Sidney
1969 *Studies in English Adverbial Usage.* London.

Greimas, A.-J.
1966 *Sémantique structurale. Recherche de méthode.* Paris.

Gülich, Elisabeth
1970 *Makrosyntax der Gliederungssignale im gesprochenen Französisch.* München.

Gülich, Elisabeth, und Wolfgang Raible
1972 (Hg.) *Textsorten. Differenzierungskriterien aus linguistischer Sicht.* Frankfurt.
1974a »Textsortenprobleme«, *Jahrbuch des Instituts für deutsche Sprache,* 1973. Düsseldorf. (Zitiert nach Ms.).

Gülich, Elisabeth, Klaus Heger und Wolfgang Raible
1974 *Linguistische Textanalyse. Überlegungen zur Gliederung von Texten.* Hamburg.

Halliday, M. A. K.
1961 »The Linguistic Study of Literary Texts«, in *Proceedings of the Ninth International Congress of Linguistics.* Cambridge (Mass), 302–307.

Harris, Zellig S.
1951 *Structural Linguistics.* Chicago.
1962 *String Analysis of Sentence Structure.* The Hague-Paris.
1963 *Discourse Analysis Reprints.* The Hague-Paris.
1968 *Mathematical Structures of Language.* New York.

Hartmann, Peter
1964 »Text, Texte, Klassen von Texten«, *Bogawus: Zeitschrift für Literatur, Kunst, Philosophie,* 1, 15–25.
1971 »Texte als linguistisches Objekt«, in Wolf-Dieter Stempel (1971), 9–29.

Harweg, Roland
1968a *Pronomina und Textkonstitution.* München.
1968b »Textanfänge in geschriebener und in gesprochener Sprache«, *Orbis,* 17, 344–388.

1968c »Die Rundfunknachrichten«, *Poetica*, 2, Nr. 1, 1–14.
1972 »Stilistik und Textgrammatik«, *Zeitschrift für Literaturwissenschaft und Linguistik*, 2, Nr. 3, 71–81.

Hempfer, Klaus W.
1973 *Gattungstheorie. Information und Synthese.* München.

Hendricks, William O.
1967 »On the Notion ›Beyond the Sentence‹ «, *Linguistics*, 37, 12–51.

Herder, Johann Gottfried
1772 *Abhandlung über den Ursprung der Sprache.* Hg. H. D. Irmscher. Stuttgart 1966.

Hill, A. A.
1955 »An Analysis of *The Windhover:* an Experiment in Structural Method«, *Publications of the Modern Language Association*, 70, 968–978.

Hockett, Charles F.
1958 *A Course in Modern Linguistics.* New York.

Hüllen, Werner
1971 *Linguistik und Englischunterricht. Didaktische Analysen.* Heidelberg.

Humboldt, Wilhelm von
1820 »Über das vergleichende Sprachstudium«, in *Schriften zur Sprachphilosophie*, hg. A. Flitner und K. Giel. 5 Bde. Bd. 3: Darmstadt 1963.

Ihwe, Jens (Hg.)
1971 *Literaturwissenschaft und Linguistik. Ergebnisse und Perspektiven.* 3 Bde. Bd. 1: *Grundlagen und Voraussetzungen,* Frankfurt.

Isenberg, Horst
1971 »Überlegungen zur Texttheorie«, in Jens Ihwe, 155–172.

Iser, Wolfgang
1970 *Die Appellstruktur der Texte. Unbestimmtheit als Wirkungsbedingung literarischer Prosa.* Konstanz.

Jakobson, Roman
1968 »Linguistics and Poetics«, in Thomas A. Sebeok (1968), 350–377.
1970 *Shakespeare's Verbal Art in Th'Expence of Spirit.* The Hague-Paris.

Jolles, André
1930 *Einfache Formen. Legende, Sage, Mythe, Rätsel, Spruch, Kasus, Memorabile, Märchen, Witz.* Tübingen [4]1972.

Joos, Martin
1964 *The English Verb. Form and Meanings.* Madison (Wisconsin) [2]1968.

Kallmeyer, W., W. Klein, R. Meyer-Hermann, K. Netzer, H. J. Siebert
1974 *Lektürekolleg zur Textlinguistik.* Bd. 1: *Einführung.* Frankfurt.

Kane, Thomas S., und Leonard J. Peters
1959 *Writing Prose. Techniques and Purposes. New York ²1964.*

Kayser, Wolfgang
1948 *Das sprachliche Kunstwerk.* Bern ¹⁶1973.

Klein, Wolfgang, und Dieter Wunderlich (Hg.)
1972 *Aspekte der Soziolinguistik.* Frankfurt.

Kloepfer, Rolf, und Ursula Oomen
1970 *Sprachliche Konstituenten moderner Dichtung. Entwurf einer deskriptiven Poetik – Rimbaud.* Bad Homburg.

Koch, Walter A.
1966 *Recurrence and a Three-Modal Approach to Poetry.* The Hague-Paris.
1969 *Vom Morphem zum Textem – From Morpheme to Texteme. Aufsätze zur strukturellen Sprach- und Literaturwissenschaft.* Hildesheim.
1971 *Taxologie des Englischen. Versuch einer einheitlichen Beschreibung der englischen Grammatik und englischer Texte.* München.

Koch, Walter A. (Hg.)
1972 *Strukturale Textanalyse. Analyse du Récit. Discourse Analysis.* Hildesheim.

Kreuzer, H., und R. Gunzenhäuser (Hg.)
1965 *Mathematik und Dichtung.* München.

Lämmert, Eberhard
1955 *Bauformen des Erzählens.* Stuttgart ²1967.

Lang, Ewald
1973 »Über einige Schwierigkeiten beim Postulieren einer ›Textgrammatik‹ «, in F. Kiefer/N. Ruwet (Hg.), *Generative Grammar in Europe.* Dordrecht–Holland 1973, 284–314.

Langacker, Ronald W.
1967 *Language and its Structure. Some Fundamental Linguistic Concepts.* New York.

Lausberg, Heinrich
1960 *Handbuch der literarischen Rhetorik. Eine Grundlegung der Literaturwissenschaft.* 2 Bde. München.

Leech, Geoffrey N.
1965 » ›This bread I break‹. Language and Interpretation«, *A Review of English Literature,* 6, 66–75.
1966 *English in Advertising. A Linguistic Study of Advertising in Great Britain.* London.
1969 *A Linguistic Guide to English Poetry.* London.

Lenneberg, Eric H.
1967 *Biological Foundations of Language.* New York.

Levin, Samuel R.
1962 *Linguistic Structures in Poetry.* The Hague-Paris.
1965 »Internal and External Deviation in Poetry«, *Word,* 21, 225–237.

Lotman, J. M.
1972 *Die Struktur literarischer Texte.* München.

Lyons, John
1968 *Introduction to Theoretical Linguistics.* Cambridge.

Maser, Siegfried
1971 *Grundlagen der allgemeinen Kommunikationstheorie. Eine Einführung in ihre Grundbegriffe und Methoden.* Stuttgart.

Meyer-Eppler, W.
1959 *Grundlagen und Anwendungen der Informationstheorie.* Berlin [2]1969.

Morris, Charles
1946 *Signs, Language and Behavior.* New York.

Mukařovský, Jan
1940 »Standard Language and Poetic Language«, in Paul L. Garvin, 17–30.

Nickel, G.
1968 »Kontextuelle Beziehungen zwischen Sätzen im Englischen«, *Praxis des neusprachlichen Unterrichts,* 15, 15–25.

Oomen, Ursula
1973 *Linguistische Grundlagen poetischer Texte.* Tübingen.

Petöfi, János S.
1971 *Transformationsgrammatiken und eine ko-textuelle Texttheorie. Grundfragen und Konzeptionen.* Frankfurt.

Pike, Kenneth L.
[2]1967 *Language in Relation to a Unified Theory of the Structure of Human Behavior.* The Hague-Paris 1954–1960.

Popper, Karl R.
1934 *Logik der Forschung.* Tübingen [3]1969.

Pottier, B.
1967 *Présentation de la linguistique. Fondements d'une théorie.* Paris.

Quirk, Randolph, Sidney Greenbaum, Geoffrey Leech, und Jan Svartvik
1972 *A Grammar of Contemporary English.* London.

Riffaterre, Michael
1959 »Criteria for Style Analysis«, *Word,* 15, 154–174.
1960 »Stylistic Context«, *Word,* 16, 207–218.
1964 »The Stylistic Function«, in *Proceedings of the Ninth International Congress of Linguists* (Cambridge, Mass, 1962), hg. Horace G. Lunt. The Hague-Paris, 316–322.

Robins, R. H.
1964 *General Linguistics. An Introductory Survey.* London.

Sanders, Willy
1973 *Linguistische Stiltheorie. Probleme, Prinzipien und moderne Perspektiven des Sprachstils.* Göttingen.

Sandig, Barbara
1972 »Zur Differenzierung gebrauchssprachlicher Textsorten im Deutschen«, in E. Gülich/Wolfgang Raible (1972), 113–124.
Sapir, Edward
1921 *Language. An Introduction to the Study of Speech.* New York 1949.
Saussure, Ferdinand de
1916 *Cours de linguistique générale.* Hg. Charles Bally und Albert Sechehaye. Paris 1964 (reprint der 3. Aufl.).
Schmidt, Siegfried J.
1968 »Alltagssprache und Gedichtsprache. Versuch einer Bestimmung von Differenzqualitäten«, *Poetica,* 2, 285–303.
1971 »Allgemeine Textwissenschaft. Ein Programm zur Erforschung ästhetischer Texte«, *Linguistische Berichte,* 3, Nr. 12, 10–21.
1972 »Ist ›Fiktionalität‹ eine linguistische oder eine texttheoretische Kategorie?« in Elisabeth Gülich/Wolfgang Raible (1972), 59–71.
1973 *Texttheorie. Probleme einer Linguistik der sprachlichen Kommunikation.* München.
Searle, J. R.
1969 *Speech Acts.* Cambridge.
Sebeok, Thomas A. (Hg.)
1960 *Style in Language.* Cambridge (Mass) 1968.
Seidler, Herbert
1959 *Die Dichtung. Wesen, Form, Dasein.* Stuttgart.
Shannon, C. E., und W. Weaver
1949 *The Mathematical Theory of Communication.* Urbana (Illinois).
Sowinski, Bernhard
1973 *Deutsche Stilistik. Beobachtungen zur Sprachverwendung und Sprachgestaltung im Deutschen.* Frankfurt.
Steger, Hugo, H. Deutrich, G. Schank, E. Schütz
1973 »Redekonstellation, Redekonstellationstyp, Textexemplar, Textsorte im Rahmen eines Sprachverhaltensmodells. Begründung einer Forschungshypothese«, *Jahrbuch des Instituts für deutsche Sprache,* 1972. Düsseldorf.
Stempel, Wolf-Dieter (Hg.)
1971 *Beiträge zur Textlinguistik.* München.
Stempel, Wolf-Dieter
1972 »Gibt es Textsorten?« in Elisabeth Gülich/Wolfgang Raible (1972), 175–179.
Suerbaum, Ulrich
1971 »Text und Gattung«, in *Ein anglistischer Grundkurs zur Einführung in das Studium der Literaturwissenschaft,* hg. B. Fabian. Frankfurt 1971, S. 104–132.
*Text Analysis and Writing Practice. Arbeitsmaterialien für die Sekundar-*
1970ff. *stufe II in Loseblattform.* Bearbeit von H. D. Hase, E. Hombitzer, W. Kracht und E. Werlich. Dortmund. (Jahresbände zu je-

weils 20 fortlaufend numerierten Interpretationseinheiten; 1970/71, Nr. 1–20.)

Vachek, Josef
1973 *Written Language. General Problems and Problems of English.* The Hague-Paris.

Wackernagel-Jolles, Barbara
1971 *Untersuchungen zur gesprochenen Sprache. Beobachtungen zur Verknüpfung spontanen Sprechens.* Göttingen.

Wakelin, Martyn F.
1972 *English Dialects. An Introduction.* London.

Weinrich, Harald
1964 *Tempus. Besprochene und erzählte Welt.* Stuttgart [2]1971.

Weisgerber, L.
[3]1962 *Grundzüge der inhaltbezogenen Grammatik.* Düsseldorf.
[3]1962 *Die sprachliche Gestaltung der Welt.* Düsseldorf.
[2]1957 *Die Muttersprache im Aufbau unserer Kultur.* Düsseldorf.

Wellek, René, und Austin Warren
1949 *Theory of Literature.* Harmondsworth 1970.

Werlich, Egon
1964 *Der westgermanische Skop. Der Aufbau seiner Dichtung und sein Vortrag.* Diss. Münster.
1967 *Poetry Analysis. Great English Poems Interpreted.* Dortmund [3]1972.
1969 *Wörterbuch der Textinterpretation. The Field System Dictionary for Text Analysis.* Dortmund [5]1974.
1975a *Stories and Reports.* Dortmund.
1975b *Impressionistic and technical descriptions.* Dortmund.
1976 *A Text Grammar of English.* Heidelberg (UTB 597).
1979 *Comments and scientific argumentation.* Dortmund.

Whorf, Benjamin Lee
1956 *Language, Thought, and Reality. Selected Writings.* Hg. John B. Carroll. Cambridge (Mass) 1969.

Wiener, N.
1948 *Cybernetics.* Cambridge (Mass).

Winter, Werner
1967 »Stil als linguistisches Problem«, in *Wort und Satz im heutigen Deutsch*, 219–235.

*Wort und Satz im heutigen Deutsch. Probleme und Ergebnisse neuerer*
1967 *Forschung.* (Jahrbuch 1965/1966.) Düsseldorf.

Wunderlich, Dieter
1971 »Pragmatik, Sprechsituation, Deixis«, *Zeitschrift für Literaturwissenschaft und Linguistik*, 1, Nr. 1/2, 153–190.

# Sachregister

(F. = Fußnote unter *Anmerkungen*)

# Personenregister

(F. = Fußnote unter *Anmerkungen*)

# Notizen

# Notizen